AA 3

ROTOVISION

Le finestre; il metallo; il legno; il mattone; il colore; la geometria. Per questo terzo volume dell'Annual di Abitare si sono voluti scegliere sei grandi temi, sei componenti essenziali dell'abitare e del costruire, illustrandoli come è ormai consuetudine con i più bei servizi apparsi sulla rivista. Dalla Finlandia al Venezuela, dalle dune dello Jutland alle strade di New York, da Frank Lloyd Wright ai giovani esponenti dell'avanguardia internazionale, questo libro indica un percorso sicuro — ma non privo di sorprese entusiasmanti — attraverso i momenti più felici dell'architettura e del gusto di oggi e di sempre. Per chi ama il meglio di quanto succede nelle case, nelle città, nel territorio di tutto il mondo.

●

Windows, metal, wood, brick, colour, and geometry. For this third edition of the Abitare Annual we decided to choose six wide-ranging themes, all of them essential to the way we live and the way we build. As usual, we have illustrated them with the most attractive features to have been published in our magazine. From Finland to Venezuela, from the dunes of Jutland to the streets of New York, from Frank Lloyd Wright to the youngest exponents of the international avant-garde, the happiest moments of architecture and the best of contemporary taste combine to lead readers down a path strewn with unexpected surprises. We feel sure that this book will bring pleasure to all those who love the home, the town, and the environment — wherever these may be.

ABITARE

ANNUAL 3

Finestre

Windows

Metallo

Metal

Legno

Wood

Mattone

Brick

Colore

Colour

Geometria

Geometry

È un fascino strano quello delle finestre; un fascino che forse nessun altro degli elementi che insieme fanno una casa possiede. Le finestre sono trasparenti — si potrebbe quasi dire che sono fatte per non esistere; grazie a loro un ambiente riceve luce e aria, quindi "vede" e "respira"; grazie a loro la nostra casa, il nostro privatissimo rifugio, accoglie in sé il mondo che sta fuori, e ad esso si apre. Alle finestre, o meglio a case che dalle finestre traggono il loro carattere e la loro vita, è dedicato questo primo capitolo: sette esempi diversissimi tra loro (ci sono due case immerse nella natura, due appartamenti e una mansarda assolutamente metropolitani, uno studio professionale, una barca-abitazione), sette modi di vivere e di dialogare con la realtà circostante.

Finestre
WINDOWS

Windows possess a strange fascination possibly not found in any of the other elements going to make up a house. Transparent, as though they had been made not to exist at all, they allow a room to "see" and to "breathe". They allow our private refuges to glimpse out at the world outside, and vice versa. This first chapter is dedicated to windows — or rather, to homes whose windows have bestowed them with their life and personality. The seven totally different examples — two homes surrounded by nature, two city apartments and a mansard, a professional studio and a house-boat — reveal seven contrasting lifestyles, seven ways of interrelating with their surroundings.

Sulla spiaggia della Cornovaglia

ON A CORNISH BEACH

Max Benthall, architect
(Benthall Potter & Associates)

Mare, maree, onde spesso furiose e tramonti magnifici a St. Ives, un paese sulla punta della Cornovaglia protesa verso l'Atlantico. St. Ives ha una spiaggia a mezzaluna dove all'inizio del secolo scorso fu costruito un muro di pietra per arginare l'avanzata della sabbia. Il paese, che vive soprattutto di turismo, un tempo era un porto di pescherecci molto attivo: sul muro di pietra i pescatori via via costruirono piccoli edifici che servivano loro come magazzini per il pesce o per le vele. La metamorfosi cominciò nell'Ottocento quando parecchi pittori di nome – fra i quali ad esempio James Whistler e Walter Sickert – presero l'abitudine di ritrovarsi a svernare qui, in questi ex magazzini di fronte al mare. Oggi la metamorfosi è compiuta. La solita metamorfosi. Passati di proprietà, restaurati, ristrutturati, gli edifici in compatta schiera sono diventati abitazioni per l'estate o studi di artisti e professionisti diversi. Uno di questi è il fotografo Ron Sutherland.

At St. Ives, on the north coast of Cornwall, the ebbing and flowing tides are remarkable for the distances they cover, and the sea is often stormy, and the sunsets are sublime. The beach here is crescent-shaped; a sea wall was built at the beginning of the nineteenth century to prevent the sand from choking the harbour. These days the town lives chiefly off tourism, but once it was a busy fishing port. As time went on, fishermen put up small buildings on the stone wall, to serve as fish cellars and sail lofts. The town's transformation began in the last century, when many well-known painters – two of whom were Whistler and Sickert – started coming here and wintering in the former fishermen's storehouses that look out to sea. Today the transformation has been totally completed. The tightly-packed cottages have been bought, restored, and remodelled, and have either become holiday homes for summer residents, or studios for the artistic community, which counts photographer Ron Sutherland among its number.

● La casa che Ron Sutherland comprò in questo luogo da lui molto amato per farvi il proprio "pied-à-mer" era in condizioni orribili (vedi la foto in bianco e nero). Il vecchio proprietario si era rifugiato alla meglio al piano di sotto, i muri trasudavano umidità, il lucernario era in pezzi, il tetto consunto, e bisognava mettere catinelle dappertutto. Sutherland chiamò in aiuto l'amico architetto Max Benthall e anche un altro amico, un carpentiere locale che ben conosce le, a dir poco, eccentricità delle vecchie costruzioni del paese (le quali, bisogna ricordarlo, furono opera di pescatori e non di muratori). Così cominciò la lunga impresa. Benthall, ovviamente incantato dalla spiaggia e dal mare, progettò una grande vetrata che apre il fronte della casa da cima a fondo. Inserì nella vetrata una finestra e ci voleva mettere anche un balcone, ma le autorità non diedero il permesso; così la porta si apre sul vuoto e per scendere alla spiaggia si appoggia al vecchio muro di pietra una scala a pioli (quando non serve sta dentro, appesa a un muro, come si vede sulla sinistra nella foto grande).

ON A CORNISH BEACH

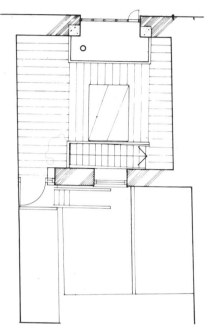

pianta del piano superiore
upper-floor plan

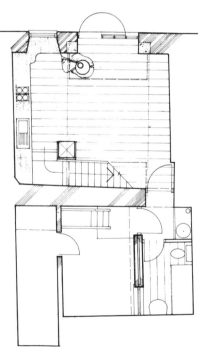

pianta del piano inferiore
lower-floor plan

● *The cottage Ron Sutherland bought as a "pied-à-mer" in his beloved St. Ives was in a deplorable state (see black and white photo). In fact, it was so bad that the previous owner had beaten a retreat to the bottom half. The walls were damp, the skylight was in pieces, the roof had fallen in, and buckets had to be put everywhere to catch the rain water. Sutherland sought out the help of an architect friend, Max Benthall, as well as that of another friend, a local carpenter who is all too familiar with the eccentricities — to put it mildly — of Cornish buildings (built, it should be remembered, by fishermen as opposed to masons). Riveted by the beach and the sea, Benthall designed a glazed front running the length of the house, with a small window and a glass door inserted into it; the door was to lead out to a balcony, but the local authorities refused to give planning permission. As a result, the door opens out into the void, and a ladder is used for climbing down to the beach; when not in use, it is hung up inside, as can be seen on the left of the large photo.*

• La vetrata a tutta altezza, il lucernario nel tetto proprio in corrispondenza della vetrata, e l'arretramento del pavimento del piano superiore hanno creato un suggestivo "pozzo di luce" che inonda tutta la casa. Il bianco e il grigio chiarissimo scelti per le pareti e i soffitti (bianco sulle travi e le altre parti di legno, grigio sulle murature) non fanno che esaltare questa luce, oltre che "allargare" gli spazi. I pavimenti di legno invece sono stati verniciati con uno smalto lucido blu — canto e controcanto con il mare. Giustamente essenziale è l'arredamento poiché il paesaggio interno è in subordine rispetto a quello esterno che entra nella casa con tanta intensità. Al piano terreno c'è una parete-cucina un po' appartata, una stufa di ferro nero che riscalda tutto, due divani, qualche tavolo, e un pilastro-nicchia quadrato in muratura in cui hanno sede, uno sopra l'altro, un forno e un armadietto. Sul retro la casa ha una appendice

in cui è situato il bagno. Il letto è al piano superiore e ci si arriva salendo una scala che sta dietro il pilastro-nicchia. Il parapetto di questo piano attorno al "pozzo di luce" è fatto di pannelli di vetro. Così anche dal letto si può avere la vista del mare, degli uccelli marini, del viavai delle barche e dei pescatori. Questo è lo "scopo" della casa, questa contemplazione piace ai suoi abitanti.
• Nella foto a sinistra: una veduta dal basso verso il lucernario; si vede il parapetto di vetro del primo piano. Foto grande al centro: il letto al piano superiore; la porta sul fondo dà su una scaletta che scende nel cortile posteriore. In basso: un particolare del soggiorno con la stufa nera posata su due lastre grezze di pietra, una finestrina che inquadra una striscia di sabbia e il mare, e la vetrata fatta per resistere alle burrasche atlantiche che guarda la spiaggia e il mare. Nella pagina a lato: una veduta dall'alto sul "pozzo di luce".

ON A CORNISH BEACH

• The glazed front, the skylight directly above it, and the moving back of the floor upstairs, have created an eloquent "well of light" that floods through the house. The white and pale grey chosen for the walls and ceilings (white for the beams and other parts in timber, grey for the walls) emphasize the light even further, as well as making the interior seem larger than it is in reality. The wooden floorboards were stained blue and then sealed with clear gloss paint, and are almost the same blue-green colour as the sea. The furnishings have been kept to a minimum, and rightly so, for the interior is subordinate to the external landscape, which pervades the house with puissant intensity. On the ground floor, the kitchen area lines one wall; a black cast-iron stove provides heating, and there are two sofas, some tables, and a square pillar-niche containing a cupboard and a built-in oven. There is a lean-to

bathroom at the back of the house. The bed is on the upper floor, reached by a staircase flanked by glass panels. Glass panels also make up the upper-floor parapet surrounding the "well of light". Seabirds, the sea, boats wending their way hither and thither, and fishermen, can all be seen from the bed.
• Top photo: the skylight as seen from below; note the glass parapet on the upper floor. Above, large photo: the bed on the upper floor; the white door in the background opens to reveal a wooden ladder, which leads down to the courtyard at the back. Left: a detail of the living-room with the black stove perched on two rough slabs of granite, a tiny window framing a strip of beach and the sea, and the glazed front that has been made to withstand Atlantic gales — positively thrusting the view of beach and sea into the interior. Facing page: a view looking down from the "well of light".

Sul lago di Saint Moritz
BY LAKE SAINT MORITZ

Ruch & Hüsler, architects

Saint Moritz, Engadina. In questa valle di laghi dove si incontra il jet-set e dove gli sport invernali sono il motore principale delle attività, esiste anche un altro mondo che si conosce poco e che conserva in sé le tradizioni di vita proprie del luogo e di queste montagne: ci sono persone che a St. Moritz non vengono solo in vacanza ma abitano tutto l'anno. Una di esse è l'architetto Hans-Jörg Ruch che dal 1977 vive e lavora qui, nello studio fondato con il collega Urs Hüsler. Nel 1986 l'architetto Ruch ha costruito per sé e per la propria famiglia una casa immersa nei boschi prospicienti il lago. In queste immagini l'acqua non si vede perché il lago è gelato. Siamo a 1800 metri di altitudine e la neve — ricchezza del paese insieme con le bellezze naturali — è presente per parecchi mesi all'anno (basti pensare che in questa zona il tetto di una casa deve poter sopportare il peso di mille chili per metro quadrato). La costruzione di Ruch ha una forma quadrata, essenziale, secca. Dato il contesto, la ricerca progettuale ha infatti lasciato da parte ogni compiacimento per concentrarsi su uno scopo unico: legare il più possibile la casa alla natura. Da qui è nata l'idea di aprire l'angolo rivolto verso il lago con due grandi vetrate che occupano metà del lato sud e metà del lato ovest fino al tetto. Così il bosco, il cielo, il lago e le montagne entrano nella vita della casa per intero e non soltanto attraverso i quadrati o i rettangoli delle finestre.

●

In Saint Moritz, Engadine, that lake-filled valley where you rub shoulders with the jet-set and where winter sports are the motivating force behind all social activities, there exists another, little-known world which still retains the local traditions. For some people don't just come to Saint Moritz on holiday, but live here all the year round. One of these is Hans-Jörg Ruch, an architect who has lived here since 1977, working in the studio he set up with his partner Urs Hüsler. In 1986 Ruch built a house for himself and his family in the woods overlooking the lake. The water cannot be seen in these photos, because the lake was frozen over at the time they were being taken. We are at 1800 metres above sea level here, and snow, a natural resource of the country-side along with its beauty, covers the landscape for many months of the year (the roof of a house here must be able to support no less than one thousand kilos per square metre). Ruch's house is square in shape, essential, and concise. On account of its natural setting, the design put all frivolity aside in order to concentrate on one single purpose: linking the house to nature as much as possible. Thus originated the idea of opening up the corner facing the lake with two huge windows that take up half of the south and west walls, right up to the roof. This means that the woods, the sky, the lake, and the mountains enter right into the life of the house, and are not just views seen through square and rectangular windows.

● Sulle sponde del lago coperto di neve, la casa dell'architetto Ruch (che nella foto qui sopra è seminascosta dagli alberi) è circondata da boschi. Attraverso le due grandi vetrate (a destra) sembra che la natura "entri" nella casa.

● *On the snow-covered lakeshore, architect Hans-Jörg Ruch's house lies half-hidden by trees (photo above). Nature appears to enter right into the house through the two large windows (right).*

La zona conversazione, a doppia altezza e delimitata dalle due pareti di vetro, acquista il ruolo di una corte interna verso la quale confluiscono i percorsi e le prospettive. Tutto il piano terreno è infatti articolato in modo da lasciare libere le diagonali che uniscono gli angoli opposti della pianta quadrata: si viene così a creare uno spazio interno molto aperto e arioso, mentre le altezze sono calcolate in funzione del sole che arriva a toccare tutti gli angoli dell'ambiente almeno una volta al giorno. Questa struttura non solo consente la comunicazione immediata con la natura circostante ma ha anche un risvolto di risparmio energetico. La casa è riscaldata per lo più dal calore immagazzinato attraverso le vetrate e dalla grande stufa in muratura, che con la sua appendice simile a un letto dove ci si può

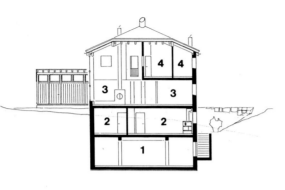

sezione
section
1. cantina; **2.** seminterrato;
3. zona giorno (parzialmente a doppia altezza); **4.** zona notte.
1. *cellar;* **2.** *basement;* **3.** *day area (partly double height);*
4. *night zone.*

pianta del primo piano
first-floor plan
1. scala, corridoio e vestibolo;
2. camera dei genitori;
3. camera dei figli; **4.** bagni;
5. vuoto sulla zona conversazione.
1. *staircase, corridor and landing;* **2.** *master bedroom;*
3. *children's rooms;*
4. *bathrooms;* **5.** *space over conversation area.*

pianta del piano terreno
ground-floor plan
1. portico; **2.** garage; **3.** terrazzo;
4. ingresso; **5.** atrio e scala;
6. wc; **7.** cucina-pranzo; **8.** stufa;
9. zona conversazione a doppia altezza; **10.** zona studio-pranzo.
1. *porch;* **2.** *garage;* **3.** *terrace;*
4. *entrance;* **5.** *hall and staircase;* **6.** *wc;* **7.** *kitchen-cum-dining-room;* **8.** *stove;* **9.** *double height conversation area;*
10. *study-dining area.*

pianta del seminterrato
basement-floor plan
1. ingresso; **2.** appartamento degli ospiti; **3.** locale della caldaia; **4.** bagno; **5.** spazio libero per usi diversi; **6.** seconda cantina; **7.** deposito del combustibile.
1. *entrance;* **2.** *guest apartment;*
3. *boiler room;* **4.** *bathroom;*
5. *general purpose area;*
6. *second cellar;* **7.** *fuel store.*

BY LAKE SAINT MORITZ

• Bounded by the two glass walls, the double height conversation area becomes an internal courtyard towards which paths and perspectives flow. The whole ground floor has been arranged so as to not interfere with the diagonals connecting the opposite corners of the square plan. This creates a very airy, open interior. The heights have been calculated according to the sun, which reaches all corners of the room at least once a day. This solution allows for direct visual contact with nature, as well as for a saving in energy. The house is mainly heated by warmth absorbed through the glass walls and by the big brick stove with its bed-like attachment where one can lie down close to the heat, fitted between the conversation area and the

sdraiare vicino al caldo si inserisce fra la zona conversazione e la cucina (vedi la pianta). Secondo la tradizione engadinese, nel soffitto sopra la stufa c'è una botola che si apre nel pavimento della camera dei genitori così che il calore si diffonde anche al piano superiore.

L'impianto a gasolio è usato molto poco, nonostante i 1800 metri di altitudine (quasi soltanto per l'acqua calda corrente nella cucina e nei bagni).

● Nelle foto: due riprese dall'alto della zona conversazione, con la stufa e le vetrate. Il pavimento è di pietra grigia. La scultura lignea a forma di albero è dell'italiano Ferdinando Codognotto. Le poltrone sono le "Wassily" di Marcel Breuer (Knoll International), il divano è lo "Stringa" di Gae Aulenti (Poltronova). I tappeti sono stati raccolti nel corso di viaggi in Africa e in Sud-America.

kitchen (see plan). Following local tradition, a trapdoor in the ceiling above the stove opens into the parents' bedroom so that the heat spreads into the upper storey. The oil-fired heating is used very little in spite of the house being 1800 metres above sea level — almost only for hot water in the kitchen and bathrooms.
● In the photos: two overhead views of the conversation area, with the stove and the glass walls. The floor is of grey stone. The tree-shaped wooden sculpture is by Italian sculptor Ferdinando Codognotto. The armchairs are "Wassily" by Marcel Breuer (Knoll International), the sofa is Gae Aulenti's "Stringa" (Poltronova). The carpets were collected on trips to Africa and South America.

● Sotto: particolare di un fianco della stufa in muratura e di una delle colonne. Queste sono state realizzate con tubi che di solito si usano per la ventilazione, riempiti di cemento e verniciati con smalto bianco lucido. Nelle foto piccole alla pagina a lato: la cucina, la zona conversazione vista dall'atrio d'ingresso, e la zona pranzo-studio, attigua alla precedente ma di altezza normale. Accanto ai mobili contemporanei parecchi

● *Above: detail of one side of the brick stove and of one of the pillars. These were made from ventilation pipes which were filled with cement and painted with white gloss paint. Facing page, small photos: the kitchen, the double-height conversation area, and the normal-height dining-study area adjacent to it. Several pieces of antique Engadine furniture have*

mobili engadinesi antichi.
● Foto grande a destra: una ripresa che mostra la struttura caratteristica della casa. Dall'angolo

conversazione — in primo piano — si vede il percorso diagonale fino alla scala (che sta nell'angolo opposto), attraverso le due colonne

bianche e l'atrio d'ingresso. Il trattamento "a corte" della zona conversazione è dimostrato dalle aperture nelle pareti del primo

piano che si affacciano su di essa e di conseguenza anche sulle vetrate e sul paesaggio: sono due finestre delle camere da letto (non

visibili nella foto ma indicate nella pianta) e un balconcino identico a un altro che si apre invece verso l'esterno della casa dalla zona

pranzo-studio. Il balconcino interno conclude il corridoio del primo piano, situato anch'esso sulla diagonale del quadrato.

BY LAKE SAINT MORITZ

been mingled with the contemporary pieces.
● *Right, large photo: a view showing the structure of the house. A diagonal*

path leads from the conversation corner in the foreground, past the two white pillars and the entrance hall, to the stairs

in the opposite corner. The "courtyard" treatment of the conversation area is shown by the openings in the first-floor walls

overlooking it and, as a result, the glass walls and landscape. There are two bedroom windows (not visible in the photo but

marked in the plan) and a small balcony which is exactly like another one opening out of the house from the dining-study

area. The interior balcony is at the end of the first-floor corridor which also runs diagonally through the square layout.

● Le camere dei figli hanno una forma all'incirca triangolare che deriva dalla disposizione in diagonale data agli spazi interni. Con le loro due porte contigue si affacciano sul corridoio del piano superiore che si allarga poco prima del balconcino. Una delle camere, come la camera dei genitori, ha una finestra interna che dà sulla "corte" della zona conversazione (vedi la foto qui sotto). Dei due lettini antichi di legno uno si può allungare, via via che il bambino cresce, tirando in avanti il pannello anteriore (foto alla pagina a lato). Altri due letti di legno appartenenti alla tradizione contadina locale arredano la camera dei genitori (foto piccole): su uno dei due è intagliata la data 1605. Parecchi fra i pezzi che si trovano nella casa — fra questi il bel lavabo a due bacini con i relativi rubinetti — sono stati recuperati dagli scarti di vecchi alberghi di Saint Moritz travolti dalla furia rinnovatrice tipica dei nostri giorni. Ruch invece ha costruito una casa certamente "nuova"

BY LAKE SAINT MORITZ

● The children's rooms are roughly triangular in shape following the diagonal arrangement of the interior. With their two adjacent doors they look onto the first-floor corridor which widens out just before it reaches the balcony. One of them, like the parents' room, has an interior window which looks on to the "courtyard" of the conversation area (top left). One of the antique wooden beds can be lengthened as the child grows by pulling out the footboard (facing page). Two other traditional peasant wooden beds furnish the parents' room (small photos). The date 1605 is carved on one of them. Many of the pieces to be found in the house — including the fine double wash-basin complete with taps — were salvaged from the throw-outs of old Saint Moritz when they were bitten by the present-day renovation bug. Ruch has certainly built a contemporary house from

dal punto di vista architettonico, e vi ha inserito qua e là mobili e oggetti di oggi o provenienti da altri paesi: ma è stato ben attento a conservare complessivamente nel luogo in cui vive i valori della tradizione che si è venuta formando nei secoli fra queste montagne, senza nulla rinnegare.

the architectural point of view, and here and there he has fitted in furniture and objects from the present day or from other countries. In general though, he was very careful to preserve in his home the traditions that have grown up over the centuries in these mountains.

2. piccola serra interna
small conservatory.

sezione longitudinale CC
longitudinal section CC

A livello del tetto, cinque giardini da coltivare

FIVE LITTLE ROOFTOP GARDENS

Rosanna Monzini, architect

È un sottotetto nel cuore di una città, e invece pare di vivere in villa; c'è silenzio, luce e verde entrano da ogni lato, da ogni lato praticelli, cespugli e fiori rallegrano la vista. Qui una volta c'erano alcune stanze di servizio e polverosi ripostigli, distribuiti su una lunghezza di più di 35 metri sotto un tetto fortemente inclinato. Di pertinenza di due stabili adiacenti di altezza diversa, questa superficie ha, sulla linea di confine, un notevole dislivello, oggi superato da una scala interna come si vede nella sezione; tale dislivello si è rivelato vantaggioso in quanto ha consentito di movimentare il lungo spazio, di suddividerlo più marcatamente in due "zone d'influenza" (genitori e figli), e infine di ricavare alcuni utili finestrini. Restava comunque uno spazio non facile da trattare perché l'altezza sui lati − e sono lati lunghissimi − era assolutamente insufficiente. Alcuni spazi morti sono rimasti, e sono indicati in grigio scuro sulla pianta; in altri punti se ne sono ricavati armadi bassi; ma per la maggior parte sono spariti perché il tetto è stato aperto e al loro posto sono spuntati i vari terrazzi e terrazzini verdi che rendono questa casa così attraente.

●

Once inside this mansard flat in the heart of Milan, you feel almost as though you were in a country house; it is quiet and peaceful, daylight pours in from every side, and you are surrounded by vegetation. Whichever way you look, grass, flowers and shrubs enchant the eye. The apartment is housed in what was formerly a row of attics and dusty box-rooms, spread out along 35 metres of loft under a steeply pitched roof. It was formed by combining the lofts of two adjacent buildings of different height; the difference in the floor levels at the juncture between the two was bridged by an internal staircase, as can be seen from the sectional drawings. In the end, this turned out to be an advantage because it gave added interest to the internal space, clearly divided the flat into two "spheres of influence" (for parents and children respectively), and made room for some additional small windows. Planning the apartment was not in any case an easy task, because the spaces along the eaves, very long eaves at that, were far too low to be habitable. Some areas (shaded in dark grey in the plan) remained unused and others were filled with low cupboards. But for the most part they were eliminated by opening up the roof to create the various green terraces and balconies which make the apartment so attractive.

1. ingresso; 2. piccola serra interna; 3. salotti; 4. terrazzini; 5. wc; 6. galleria vetrata sul terrazzo; 7. terrazzo; 8. studiolo; 9. camera da letto; 10. cabina armadio; 11. 13. 18. bagni; 12. camera da letto; 14. camera da letto; 15. pranzo; 16. pranzo all'aperto; 17. cucina; 19. guardaroba; 20. ingresso secondario.
1. hall; 2. small conservatory; 3. drawing-rooms; 4. small terraces; 5. wc; 6. glazed gallery overlooking the terrace; 7. terrace; 8. small study; 9. bedroom; 10 walk-in closet; 11. 13. 18. bathrooms; 12. bedroom; 14. bedroom; 15. dining-room; 16. outdoor dining area; 17. kitchen; 19. laundry-room; 20. service entrance.

● Nella pagina precedente: il lungo corridoio che fa da "spina" alla casa si allarga nella parte centrale in una galleria aperta con vetrate scorrevoli sul terrazzo maggiore, un terrazzo-prato: nella terra contenuta entro la grande vasca impermeabilizzata che copre tutta la superficie calpestabile è stata infatti seminata l'erba. Diversi invece sono i terrazzini che fanno da sfondo ai due salotti (vedi le foto in queste pagine). Essi hanno una funzione più decorativa e sono trattati come aiuole per fornire la vista di masse verdi e fiorite. Al contrario di quanto avviene generalmente nelle mansarde, dunque, in questa zona della casa la luce non entra dall'alto ma dalle finestre che si affacciano su questi giardinetti pensili. Finestre a tutta parete che seguono l'inclinazione del tetto, divise in due parti: una fissa e una apribile per l'aerazione e la cura delle piante.

● In alto e a sinistra, il salotto con il camino dalla cornice settecentesca che si trova a sinistra di chi entra in casa. In basso e nella pagina a lato, il secondo salotto. In quest'ultima foto si nota, sulla destra, una struttura molto particolare della casa. Si tratta di un volume a tutta altezza e a base triangolare, interamente di vetro, che contiene delle piante in vaso (contrassegnato in pianta con il numero 2). Esso si trova di fronte all'ingresso principale dell'appartamento e non è altro che l'ingegnosa trasformazione di un triste cavedio. Il pavimento in grigliato di ferro gli mantiene la sua funzione di sfiatatoio per i piani inferiori; ma chi entra in casa, invece di trovarsi di fronte un muro alto fino al tetto, può godere di questo inserto trasparente e verde. Da notare nei due salotti gli ampi davanzali interni di pietra serena che servono anche come copricaloriferi, come piani d'appoggio, e come gradini per accedere ai terrazzi. E infine, nella foto alla pagina a lato, il mezzo frontone dipinto di grigio (come i telai delle finestre) sopra l'apertura che dà nel corridoio: un motivo che si ripete nella casa in circostanze simili, un omaggio alla simmetria che bilancia il peso visivo della vicina finestra.

● On the previous page: the long corridor which functions as the backbone of the flat broadens out in the middle section to form an open gallery with sliding glass doors leading to the largest of the terraces, a lawn-terrace. The entire terrace was sealed to form a large watertight tray, and then filled with earth and sown with grass. Smaller terraces form the backdrop to the two drawing-rooms (see the photos on these pages); having been assigned a more decorative function, they were planted as flower-beds to offer a view of massed foliage and flowers. Unlike most mansards, in this part of the apartment daylight illumination is supplied by the windows looking out over the roof-gardens instead of overhead skylights. They run from floor to ceiling, following the pitch of the roof; part of the window is fixed and part can be opened to provide fresh air for the rooms and make the plants more easily accessible.

● In the first two photos: on the left as you enter the flat you find this drawing-room with an open fireplace framed by an eighteenth-century mantelpiece. Bottom and on the opposite page: the second drawing-room. Note, on the right-hand side of the photo on the opposite page, a curious feature of the apartment: a volume, made entirely of glass and filled with pot plants (no. 2 in the plan), running from floor to ceiling opposite the front door. In reality it's an ingenious conversion of a rather depressing-looking air well and continues to function as a ventilation shaft for the floors below thanks to the metal mesh floor. The result is that anyone entering the apartment, instead of being confronted with a blank wall, is greeted by this transparent column filled with greenery. Note how the wide internal window-sills of pietra serena in the two drawing-rooms also function as radiator-covers, shelves, and as steps providing access to the terrace. Lastly, in the photo on the opposite page, note the half pediment, painted grey to match the window frames, above the entrance to the corridor. This motif is repeated in other parts of the apartment, an element of symmetry which counterbalances the visual impact of the nearby window.

sezione trasversale AA
cross section AA

sezione trasversale BB
cross section BB

FIVE LITTLE ROOFTOP GARDENS

● A sinistra, ancora il terrazzo-prato sul quale si affaccia anche il grazioso piccolo studio visibile nella foto in basso. Un roseto sta crescendo sull'intelaiatura predisposta allo scopo. La pietra serena, levigata e lucidata a cera, è stata usata non solo per i davanzali dei salotti, come si è visto nelle foto precedenti, ma anche per altri ripiani, per i gradini, per il pavimento del corridoio e per la panca copricalorifero che si vede lungo le vetrate scorrevoli. In questa foto della galleria si ritrova il motivo del mezzo frontone dipinto sopra l'apertura che dà sulla scala e sulla continuazione del corridoio a un livello più basso; e si intravvede anche, in alto, uno dei finestrini ricavati sfruttando la differenza di altezza del tetto. Nella pagina a lato, una veduta più ravvicinata di questa seconda parte della casa: in primo piano la ringhiera della scala, sulla destra in basso il terrazzo usato per il pranzo all'aperto, a sinistra la porta che dà nelle camere dei figli, sul fondo la porta della zona cucina e guardaroba. Questa porta si apre a spinta di 180º sia da una parte che dalla parte opposta.

● *Left: another view of the gallery and the grass-covered terrace, also overlooked by the delightful little studio shown in the bottom photo. Climbing roses have been planted to grow up the trellis installed for this purpose. Slabs of pietra serena, ground and wax-polished, were used not only as window-sills in the drawing-rooms (see photos on previous pages) but also as shelves, as steps, as flooring for the corridor, and for the bench seat which runs along over the radiators in front of the sliding windows. In the photo of the gallery the painted half pediment motif reappears over the opening leading to the stairs and the second part of the corridor, set on a lower level. One of the windows created by exploiting the difference in the roof heights can be glimpsed at the top of the photo. Opposite page: a closer view of the second part of the apartment. In the foreground, the staircase balustrade; low down on the right, the terrace for outdoor meals; on the left, a door leading to the children's bed-rooms; in the background, the swing door to the kitchen area, which opens through an arc of 180º in both directions.*

FIVE
LITTLE
ROOFTOP
GARDENS

● A sinistra, la scala di pietra serena vista dal basso; il lungo pianerottolo tiene un po' riparata la vicina zona pranzo. Pianerottolo e gradini non hanno sostegni visibili, il che rende l'insieme assai leggero: i ferri che partono dal muro sono nascosti nello spessore della pietra. La zona pranzo interna è arredata con un tavolo del 1830 e con sedie "Celestina" di Zanotta. Questo ambiente ha una finestra che dà sul terrazzino pavimentato di pietra serena non levigata che serve per il pranzo all'aperto. Lo si vede nella foto piccola in alto; al taglio triangolare della finestra si contrappongono, sul lato opposto, due porte metalliche che hanno lo stesso andamento e che danno accesso ai locali degli impianti tecnici.

● In basso e nella pagina a lato, la cucina. In mezzo c'è un tavolo con il piano di marmo di Carrara che parte dal muro e si arrotonda all'altra estremità. Lungo le pareti si fronteggiano due banchi di lavoro. Anch'essi hanno il piano di marmo di Carrara, con i bordi arrotondati e più alti per contenere l'acqua. Sulle pareti non ci sono piastrelle, ma il marmo continua in una piccola alzata ingentilita dalla bordatura. In corrispondenza del lavello grande, del lavello piccolo e dei fornelli, l'alzata diventa una lastra sagomata che si ispira a una vecchia forma lombarda ritrovabile nelle antiche fontane pubbliche o nelle fontane dei cortili.

● Left: a view looking up the pietra serena staircase from below. The long landing gives the nearby dining area a degree of privacy. The absence of visible supports for the stair treads and landing, which are sustained by metal brackets projecting from the wall concealed inside the stone slabs, lightens the appearance of the whole structure. The indoor dining area is furnished with an 1830 table and "Celestina" chairs from Zanotta. It has a window overlooking a small terrace floored with unpolished pietra serena, which serves as an open-air dining area. This terrace is visible in the top photo. The triangular shape of the window is repeated, on the opposite side of the terrace, in similarly shaped metal doors leading to the rooms containing technical installations.

● Bottom and facing page: the kitchen. A table topped with Carrara marble projects out into the middle of the room; one end stands against the wall and the other is rounded. Two worktops line two parallel walls, one opposite the other. They also have Carrara marble tops, with a raised lip to prevent liquids from dripping over the edge. The walls are not tiled; instead, the counters end at the back in low marble upstands with an attractive moulded edge. Behind the sinks and the hobs, in place of the upstands there is a higher marble splash-back; the shape is copied from the old public drinking-fountains still to be seen in the squares and courtyards of Lombardy.

FIVE
LITTLE
ROOFTOP
GARDENS

● A sinistra: la vista di profilo della scala ne conferma la leggerezza. Nelle foto piccole, due immagini di un bagno in cui la luce è data sia da un lucernario, sia da uno dei finestrini ricavati dal dislivello del tetto. Anche nei bagni si ritrova la grandissima cura dei particolari che è un dato caratteristico dell'intero progetto. Di pietra serena levigata e lucida sono i davanzali, il piano in cui sono incassati i lavabi, il piano dietro la vasca. In grigio, per accompagnarsi al colore della pietra, sono verniciati i telai delle finestre, le porte, i travetti del soffitto. Una parete è di specchio, le altre sono finite con la tecnica dello stucco lucido a ferro caldo, che simula le venature del marmo. Nella pagina a lato, un'ultima immagine di questa "villa" sui tetti: la camera matrimoniale con il suo ingresso piuttosto imponente, fatto di due larghi gradini di pietra, e con la sua finestra e il verde che sembra quasi di poter toccare dal letto.

● Left: this shot of the staircase, seen sideways-on, confirms the impression of lightness. Small photos: two views of one of the bathrooms. Natural lighting is provided by a skylight and by one of the small windows situated at the junction between the two roof levels. The attentive care for detail which distinguishes the whole project also extends to the bathroom. The window-sills, the top containing the handbasins, and the one behind the bathtub are all of polished pietra serena. The window frames, doors, and ceiling joists are painted grey, to match the colour of the stone. One wall is faced with mirror glass and the others are finished with a glossy stucco imitating the veining of marble. On the facing page: a last view of this rooftop "country home". The master bedroom with its rather imposing entrance, down two broad stone steps. The plants outside the window seem so close that you almost feel you could reach out and touch them while lying in bed.

*Una casa del Trenta,
una famiglia di oggi*

A THIRTIES HOME
FOR AN EIGHTIES FAMILY

*Giuseppe Caruso,
architect*

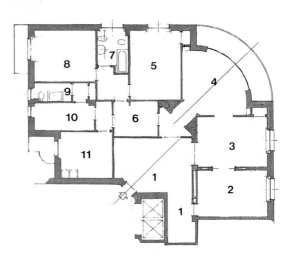

pianta precedente
1. ingresso; **2.** pranzo; **3.** studio;
4. soggiorno con balcone;
5. camera da letto;
6. spogliatoio; **7.** bagno;
8. camera da letto; **9.** bagno;
10. locale guardaroba;
11. cucina.
previous plan
1. hall; **2.** dining-room; **3.** study;
4. living-room with balcony;
5. bedroom; **6.** dressing-room;
7. bathroom; **8.** bedroom;
9. bathroom; **10.** wardrobe area;
11. kitchen.

A Milano, nella Casa della Fontana costruita da Rino Ferrini e Franco Bruni nel 1936, presentiamo un appartamento al sesto piano, la cui ristrutturazione ha consentito di ottenere una camera da letto in più. Ma, prima di entrarvi, due immagini delle parti comuni del palazzo — un tratto di scala, un pianerottolo — che danno l'idea della cura posta a suo tempo nel disegno dei particolari e nella scelta dei materiali. Si veda a questo proposito anche la bella finestra nella foto alla pagina a lato: movimento a saliscendi, legno Douglas con profilature di noce, maniglie di una lega contenente dell'argento, vano sotto la finestra per il calorifero schermato da un pannello di ghisa verniciata in modo da simulare il legno, piastra forata di ottone per la fuoriuscita del calore. Tornando all'appartamento, c'è da notare il nuovo asse ingresso-soggiorno-balcone creato con il taglio visibile nella foto piccola, che corregge il "fuori asse" preesistente (si confrontino le piante).

The home featured here is situated in the Casa della Fontana, an apartment building in Milan that dates back to 1936 and was built by Rino Ferrini and Franco Bruni. The remodelling work carried out to this sixth-floor apartment meant that it gained an extra bedroom. Before we step inside, however, let's take a look at two pictures of the communal areas — a stretch of staircase and a landing — which give an idea of the care originally put into the choice of materials and the design of the details. Notice, too, the fine window in the photo on the facing page. Made of pine with walnut trim, it has a sash movement, handles in an alloy containing silver, and a space under it for the radiator (screened by a cast iron panel painted to look like wood, and with a perforated brass panel to let heat into the room). Going back to the apartment, notice the new entrance-living-balcony axis created by the cut visible in the small photo, which corrects the previous off-line axis (compare plans).

pianta attuale
1. ingresso; **2.** cucina; **3.** pranzo;
4. zona studio; **5.** zona
soggiorno con balcone;
6. camera da letto con cabina
armadio; **7.** bagno; **8.** camera
da letto; **9.** bagno; **10.** locale
guardaroba e lavanderia;
11. bagno; **12.** camera da letto;
13. ripostiglio.
present plan
1. hall; **2.** kitchen; **3.** dining-
room; **4.** study area; **5.** living
area with balcony; **6.** bedroom
with walk-in closet; **7.** bathroom;
8. bedroom; **9.** bathroom;
10. wardrobe and laundry-room;
. bathroom; **12.** bedroom;
13. box-room.

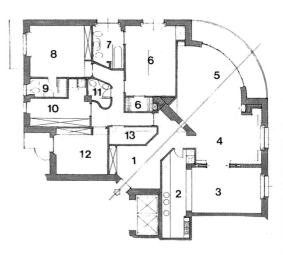

A THIRTIES HOME FOR AN EIGHTIES FAMILY

● Durante la ristrutturazione tutta l'area periferica dell'appartamento — la più bella anche come distribuzione degli spazi — è stata lasciata com'era, a parte la demolizione di un muro divisorio fra studio e soggiorno: demolizione che, esaltandone le caratteristiche spaziali, è di reciproco giovamento per i due ambienti. Il cuore della casa invece, dove la pianta era piuttosto generica e incongruente, è stato completamente ridisegnato. Come si è detto, un nuovo asse prospettico è stato creato fra ingresso e soggiorno (e relativo balcone sul parco) eliminando una piccola anticamera coperta da una volta a botte che stava fra i due locali. Quindi si è data una sistemazione più razionale alle zone di servizio ricavando un terzo bagno e adibendo la vecchia cucina a terza camera da letto. La cucina, che prima era raggiungibile dal pranzo con un percorso troppo lungo e tortuoso, è stata spostata; i giovani padroni di casa non avevano nulla in contrario a che essa si affacciasse direttamente sulla sala da pranzo, e così dunque si è fatto, sfruttando un'appendice a corridoio dell'ingresso prima poco usata.

● A sinistra: in alto, il soggiorno con la balconata ricurva; al centro, una ripresa dal soggiorno verso lo studio e il pranzo. La grande apertura fra le librerie si può chiudere con una porta scorrevole. In basso e nella pagina a lato: la cucina. Di questo nuovo locale si vede dal pranzo solo il lungo e composto banco dei lavelli con i sottostanti contenitori. Il pavimento originale a palladiana è stato conservato e raccordato al parquet della zona pranzo con una fascia di granito nero. Il soffitto a volta toglie l'impressione di ex corridoio (nell'intercapedine passano le condutture) e lo stucco lucido rosa alle pareti riflette la luce della finestra della zona pranzo ovviando alla mancanza di luce propria.

● During remodelling the whole peripheral area of the apartment (the finest also in terms of distributed spaces) was left as it was, except for one partition wall between the study and the living-room which was demolished bringing reciprocal benefit to both rooms. The centre of the apartment, once a bit hazy and incongruous, has now been completely redesigned. A new perspective axis has been introduced between the hall and the living area (and its balcony overlooking the park) by eliminating a small ante-room covered by a barrel vault previously situated between the two rooms. In this way a more rational arrangement has been given to the service areas, while gaining a third bathroom and turning the old kitchen into a third bedroom. The kitchen, previously accessible from the dining-room by an excessively long and winding corridor, has been removed; the young owners had nothing against having their kitchen looking directly onto the dining-room, and had it built in a little-used corridor off the entrance hall.

● Left: top, the living area with its curved balcony; centre, a view from the living area towards the study and dining-room. The large opening between the bookcases can be closed by a sliding door. Bottom and facing page: the kitchen. Only the long sink unit top and storage cabinets underneath can be seen from the dining-room. The original Palladian-style floor has been kept, and connected to the dining-room parquet by a strip of black granite. The vault ceiling removes the impression it was once a corridor (ducts run through the interspace), and the glossy pink plastered walls reflect light from the dining-room window.

A THIRTIES HOME FOR AN EIGHTIES FAMILY

● Dei tre bagni, i due preesistenti ora comunicano direttamente con altrettante camere da letto, mentre quello nuovo, più piccolo, è a disposizione degli ospiti (foto in alto). Nella foto a sinistra: il bagno padronale con le preziose finiture originali. Le pareti sono rivestite da pannelli di marmo cipollino verde conclusi in alto da un bordo sottile di legno nero: tutto debitamente restaurato. Il pavimento invece, troppo malconcio, è stato rifatto in marmo Marquinia nero. Dove prima c'era la porta è stata ricavata con un accorgimento (un nuovo muro obliquo) una comoda nicchia trattata, come i ripiani, a stucco verde. Nella pagina a lato: il balcone sul parco, vero e proprio "osservatorio" sulla città.

● Of the three bathrooms, the two previously existing ones now communicate directly with two bedrooms, whilst the new and smaller one is for guests (top photo). Left: the master bathroom with rich original finishes. The walls are faced in green marble panels topped by a narrow black wooden border, all duly restored. The floor was badly worn, and has been redone in black Marquinia marble. Where the door was, a convenient recess has been created through the clever device of a new oblique wall treated, like the shelves, in green stucco. Facing page: the balcony overlooking the park — an "observation post" over the city.

*Al quarto piano di una casa
tipicamente milanese*

ON THE FOURTH FLOOR
OF A TYPICAL MILAN BUILDING

Antonio Citterio, architect

Questo appartamento è stato ottenuto dalla ri-strutturazione della soffitta al quarto piano di uno stabile popolare milanese della fine dell'Ottocento. Come è detto nella corrispondenza fra committente e architetto, non erano graditi romantici "effetti mansarda" (travi a vista, finestre inclinate nel tetto, ecc.). La soluzione: un taglio deciso, una grande parete di vetro arretrata che, se ha ridotto un po' la superficie interna, ha d'altra parte dato luogo a un terrazzo in parte coperto — e quindi godibile come un portico — e riparato dalla grande "ala" del tetto.

This apartment was obtained by restructuring the attic on the fourth floor of what was a working-class Milan building dating from the end of the nineteenth century. As the correspondence between the client and the architect reveals, "attic effects" such as exposed beans, sloping skylights, etc., were out. The solution: a radical intervention, and a large glass wall set back from the original perimeter. Although the latter somewhat reduces the area of the interior, it has allowed a partially covered terrace to be created — sheltered by the large "wing" of the roof, it has become an attractive porch.

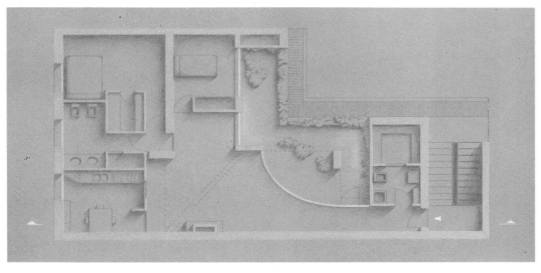

Milano, gennaio 1983

Gentile architetto,
i motivi che mi spingono a incaricarla di progettare questo piccolo spazio risalgono, oltre che alla stima professionale (conosco il suo "segno"), anche a una certa affinità generazionale, umana e culturale. Mi riesce insomma facile e gradevole parlarle.
Inoltre, è nota a tutti la sua capacità di fondere "poetica e prassi". Perdoni se le confesso di essermi rivolta in precedenza a due architetti, consigliatimi con nonchalance da un'amica ("fatti dare una mano"), i quali mi proposero soavemente di inserire in camera da letto un pissoir e un camino (il riferimento doveva essere all'acqua e al fuoco) e altre amenità molto culturali che, a mio modestissimo parere, contrastavano con l'impianto piccolo borghese del resto, senza contare che i rilievi, da me verificati con una bindella, risultarono molto fantasiosi.
Quindi, caro architetto, vuole occuparsi lei di questo sottotetto, tenen-do conto che non siamo amanti della bohème e che non ci piace stare "sotto i tetti di Milano"? (Non so se mi spiego...).
Cordialmente.   *T.M.*

Gentile signora,
benissimo. La mia idea è proprio quella di smentire la mansarda con questo "gesto" della curva, che permette di dare luce

Milan, January 1983

Dear Mr. Citterio,
The reasons which have led me to call on you to design this small space are not only due to my professional esteem for you — I know your "style" — but also to a certain affinity where our ages and our human and cultural experience are concerned. Which

therefore makes it easy for me to talk to you.
Furthermore, your ability at blending "poetics and practicality" is well known. Forgive me if I confess to having previously consulted two architects, blithely recommended to me by a girlfriend ("get somebody to give you a hand"). They delicately proposed installing a urinal and a fireplace in the bedroom (the reference being to fire and water) along with other highly cultural amenities which, in my very meek and humble opinion, clashed with the petit bourgeois layout of the building, quite apart from the fact that I personally measured the place from one end to the other and discovered the measurements taken by these architects to be fanciful to an extreme.
Will you therefore take this attic in hand, bearing in mind that we are not lovers of the bohemian lifestyle and that we are not turned on by living "under the roofs of Milan"? (I'm not sure if I make myself clear...)
Cordially yours.   *T.M.*

a tutta la zona giorno e al contempo crea, da un punto di vista formale, una continuità dentro-fuori che avremo cura di sottolineare con il prosieguo del pavimento dal salone al terrazzo. Mi rendo conto che la curva le sottrarrà spazio e che la drammaticità data dal fuori-scala della grande vetrata renderà inusitato questo spazio, dal punto di vista sia spaziale che formale. Mi par di capire che siate tra quelli che

mangiano in cucina, per cui non ne ho fatto un a parte concluso.
Ho privilegiato i servizi scrificando la superficie delle camere da letto, da intendersi come collette. Bisognerà dare un tono duro alla zona giorno, mentre le camere da letto e i servizi avranno un sapore più domestico.
I vani delle porte sono a tutt'altezza, tagli verticali decisi che negano anch'essi l'idea della mansarda.
                          A.C.

(passano due anni)

Caro architetto, venga, venga a vedere: la invito solo ora (a parte che non la trovo mai, lei è talmente preso...), dopo che abbiamo sperimentato fino in fondo gli spazi, i materiali, dopo che ci abbiamo vissuto. Grazie. Lei si è un po' negato e in alcune scelte la sua assenza si avverte. Ma, a conti fatti, in questa casa stiamo proprio bene, complimenti.
                          T.M.

ON THE FOURTH FLOOR OF A TYPICAL MILAN BUILDING

● Top photo: in the background, the entrance (shown from outside the apartment in the small photo); on the left, the curved glass wall overlooking the terrace; on the right, a wall lined with "Eta Beta" bookcases (BBB Bonacina), and a small "Asnago e Vender" table from Pallucco. Left: the bookcases as seen from the terrace. Large photo: the big, fan-shaped roof and the curved glass wall, which characterize the living area. The floor has been laid with slabs of Repen marble (a grey, karstic stone), unpolished but covered with several layers of wax and laid diagonally in order to follow the layout of the apartment. The armchair is an original prototype, "Genni", designed in 1935 by Gabriele Mucchi (and once more manufactured by Zanotta).

• La cucina, piastrellata di grigio con pareti grigie al di sopra delle piastrelle e pavimento di seminato, ha un'apertura senza battenti verso il soggiorno con una lunga prospettiva fino all'ingresso. Non ci sono le solite basi e i soliti pensili, ma un lavello molto comodo, una mensola metallica, un mobile smusso a una estremità per poter aprire la finestra, un armadietto bianco per le stoviglie e un tavolo da giardino degli anni Venti con il piano di travertino (in primo piano nella foto in basso). Nella foto a destra: due fra gli elementi più connotativi del soggiorno, l'"ala" della copertura e il camino rosa — piastrelle inglesi rosa entro una cornice veneziana di legno del Settecento. Oggi, per un camino così, messo in un ambiente rigoroso come questo, si tira fuori la parola "ironico". Parola inflazionata: più che ironia, esso sembra esprimere un reale desiderio di rosa.

Gentile signora,
non mi piacciono alcune cose, avrei da ridire sulle finiture e tolga quel divanaccio, per favore. Poi, avrei fatto tutto un po' più secco, ma, alla fine, mi va bene così. La casa è un'altra rispetto a quella che mi prospettavo, ma è giusto. Io le ho progettato il contenitore: in fondo è uno dei miei modi di fare architettura.
Cordiali saluti.   A.C.

*Dear Mrs. M.,
Capital. My idea consists precisely of removing this idea of being an attic with the "gesture" made by the curve, which allows the entire living area to be illuminated as well as creating a continuity between the exterior and interior from the formal point of view — to be underlined by extending the flooring from the livingroom to the terrace. I realize that the curve will re-* *duce space and that the dramatic effect made by the large, out-of-scale window will make this space unusual from both the spatial and formal points of view.
If I understand correctly, you are people who normally eat in the kitchen, so I haven't closed it off from the rest. I have given extra space to the bathrooms, reducing the size of the bedrooms which are looked o¨*

ON THE FOURTH FLOOR OF A TYPICAL MILAN BUILDING

• *The upper part of the walls in the kitchen is painted grey; the lower part is faced with grey tiles; the floor is laid with marble* seminato. *The doorless opening leading out from the kitchen looks right down to the entry. Instead of the usual units and wall cupboards, here we find a very spacious sink, a metal shelf, a shelf unit that has been cut obliquely to allow the window to be opened, a small white cupboard for keeping pots and pans in, and a 1920s garden table with a travertine top (shown in the foreground in the photo on the left). Right: two of the most striking elements in the living-room, the "wing" formed by the roof and the pink fireplace — pink English tiles in an eighteenth-century wooden Venetian surround. "Ironic" would be the word used these days for a fireplace like this in such rigorous surroundings. The word "ironic" is bandied about too freely, though: rather than irony, the fireplace seems to express a real desire for "rosiness".*

as being small cells.
The living area needs to be given a hard tone, whereas the bedrooms and bathrooms will have a more domestic flavour.
The doorways stretch from floor to ceiling: sharp, vertical cuts that also take away from the idea of the mansard.   A.C.

(two years go by)

*Dear Mr. Citterio,
Do come and see the apartment! I'm only asking you now to come and see it*

*(quite apart from the fact that you're always so busy I can never find you) after we have been able to experiment thoroughly with the spaces and materials, and to live in it.
My thanks. We haven't seen much of you and one can see that your touch is missing in places, but in any case we're really comfortable here. Congratulations.   T.M.*

*Dear Mrs. M.,
I don't like some of the*

*things you've done to the apartment, I have some comments to make about the finishing touches, and I would kindly ask you to remove that ghastly sofa. Personally I'd have done everything a bit crisper, but on second thoughts I like it the way it is. The apartment is a different one to the one I had designed, but that is as it should be. I designed the container for you: that is one of my ways of designing.
Cordially yours.   A.C.*

• Dopo la zona della vetrata curva il terrazzo fa un angolo retto (vedi la pianta) e su questo secondo braccio si aprono altre due vetrate, che illuminano la zona che precede una delle camere da letto (foto a sinistra) e la camera stessa, di fronte al letto (foto sotto). L'armadio, color verde chiaro, è incassato nella parete e segue l'inclinazione del tetto. Il letto è inserito entro un vecchio scaffale da drogheria di legno. La seconda camera da letto è un nucleo a sé (vedi la pianta) che comprende una cabina-armadio e un bagno spazioso (foto grande). Piastrelle bianche rivestono i muri fino a una certa altezza, poi c'è un intonaco rosa che prosegue sul soffitto. Anche questa stanza ha la porta che si apre sul soggiorno. Il soggiorno — e di conseguenza il terrazzo — è il luogo centrale della casa; esso agisce non solo come zona di convergenza dell'assetto distributivo ma anche come esito di tutte le prospettive interne.

ON THE FOURTH FLOOR OF A TYPICAL MILAN BUILDING

• *After the area with the curved glass wall the terrace makes a right angle (see plan). The second arm formed by this contains two windows which illuminate both the area leading to one of the bedrooms (top left) as well as the bedroom itself (right). The pale green built-in wardrobe follows the slope of the roof. The bed is fitted in between an old set of wooden grocer's shelves. The second bedroom is a self-contained nucleus (see plan), with a walk-in closet and a spacious bathroom (large photo). The walls are faced in white tiles up to shoulder height, while pink plaster has been used above them and on the ceiling. Like the other bedroom, this one also opens into the living-room. The living-room — and consequently the terrace — is in every sense the focal point of the apartment. All the spaces created by the layout open out onto it; it attracts your attention, no matter where you may be in the apartment.*

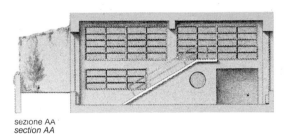

A SPACE FOR DESIGNING IN

Antonio Citterio, architect

● A disposizione c'era una superficie con pianta a "L": il braccio più stretto, soppalcato fino in fondo, è stato usato per concentrarvi le zone di reception, servizi e archivio, mentre l'altro braccio — una grande sala divisa da pilastri in due navate e illuminata da finestre su entrambi i lati — è stato lasciato intatto e riservato ai tavoli di progettazione. Nelle foto a sinistra: in alto, l'importante portone d'ingresso rivestito di Alu-Zinc (alluminio trattato con zincatura) visto dal pianerottolo, un pianerottolo privato ottenuto allestendo a tale

Questa zona di Milano situata a un passo dal nuovo Centro Direzionale — che per quanto discusso e urbanisticamente ancora non risolto è tuttavia una realtà "in progress" — contiene molti edifici in via di trasformazione: i loro ampi spazi, nati fra l'Ottocento e i primi del Novecento per ospitare attività artigianali o industriali ormai scomparse o trasferite in aree più periferiche, si prestano infatti ottimamente a un aggiornamento d'uso. Ecco ad esempio come l'architetto e designer Antonio Citterio è intervenuto su uno di questi loft per farne il proprio studio professionale.

sezione AA
section AA

sezione BB
section BB

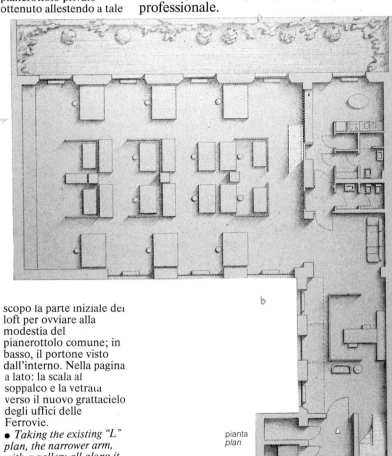

pianta
plan

scopo la parte iniziale dei loft per ovviare alla modestia del pianerottolo comune; in basso, il portone visto dall'interno. Nella pagina a lato: la scala al soppalco e la vetrata verso il nuovo grattacielo degli uffici delle Ferrovie.

● *Taking the existing "L" plan, the narrower arm, with a gallery all along it, has been used to accommodate reception, services and archives. The other arm, a large hall divided by pillars into two naves and lit by windows on both sides, has been left intact and reserved for the drawing-boards. Top left: the impressive entrance doorway clad in Alu-Zinc, seen from the landing (a private landing created from the initial part of the loft in order to remedy the modest size of the communal landing). Left: the doorway seen from inside. Facing page: the staircase to the gallery, and the glazed wall facing the new Italian Railways skytower.*

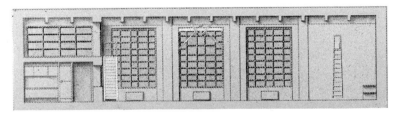

This part of Milan, situated a stone's throw from the new Business District (which is a reality in progress, despite being much discussed and still unresolved from the town planning point of view), includes numerous buildings undergoing transformation. Their broad spaces, created between the nineteenth and the early twentieth centuries to accommodate craft or industrial activities that have since vanished or moved farther out, are ideal for updated uses. Here, for example, is how architect and designer Antonio Citterio has converted one of these lofts into his office.

A SPACE FOR DESIGNING IN

● "Understatement" e casualità sembrano aver informato le scelte. Casualità però solo apparente; dietro c'è in realtà una progettazione sorvegliatissima e attenta a ogni particolare. Un esempio: per risolvere il punto di giunzione fra pareti e pavimento è stata adottata, anziché la comune finitura con lo zoccolo, la più elegante e costosa, ma non vistosa, finitura "a scuretto", cioè una zona d'ombra creata mediante l'arretramento di qualche centimetro della base del muro. Altre pareti più basse messe a schermo dei posti di lavoro sono invece fatte con pannelli di vetro ondulato montati su ruote (si tratta di prototipi eseguiti in Belgio su disegno di Antonio Citterio per B & B Italia). Il pavimento è di listoni di abete inchiodati; l'impianto elettrico è a vista (nella foto alla pagina iniziale una colonnetta di comandi vicino al portone). Nelle foto a sinistra: in alto, una ripresa dalla cucina verso il corridoio che porta all'ingresso; al centro, dalla sala di progettazione verso il soppalco e la sottostante zona d'attesa con il divano; in basso, la cucina a disposizione di chi lavora nello studio. Nella pagina a lato: la prospettiva interna dell'ingresso e la zona soppalcata.

● *Understatement and casualness seem to have informed the choices made here. The casualness is only skin deep though, for behind it lies a highly supervised design and thorough attention to every detail. Lower screen-walls round the work stations are made with corrugated castor-mounted glazed panels (prototypes made in Belgium from a design by Antonio Citterio for B&B Italia). The floor is in nailed pitch-pine boards. The electricity system has been left open to view (the photo on the first page shows a switch panel column next to the doorway). Top left: a view from the kitchen towards the corridor leading to the entrance. Centre: the waiting area below the gallery. Left: a kitchen for those working in the office.*
Facing page: a view from the hall towards the gallery.

A SPACE FOR DESIGNING IN

● Luce e spazio invidiabili nella grande sala di progettazione, enfatizzati dai riflessi sul vetro delle pareti mobili. Al centro i pilastri che dividono lo spazio in due navate, sui due lati lunghi contrapposti le vetrate preesistenti, semplicemente restaurate e verniciate. Nuove sono invece le vetrate che chiudono la zona soppalcata (sul fondo nella foto), un ibrido un po' ironico fra le forme dell'architettura industriale e quelle del ponte di una nave: o meglio autoironico, perché lo studio di Antonio Citterio sta proprio lassù.

● *Enviable light and space in the large design room, emphasized by reflections from the glazed mobile walls. At the centre, the pillars dividing the space into two naves; the original windows on the two longer sides have been simply restored and painted. The windows closing off the gallery zone (background of the picture) are new, and are a slightly ironic hybrid between the forms of industrial architecture and those of a ship's bridge. Better still, they're self-mocking, because Antonio Citterio's studio is right there on the top.*

A SPACE FOR DESIGNING IN

● Come le pareti mobili di vetro, così anche altri pezzi inseriti nelle attrezzature dello studio sono prototipi recuperati di prodotti disegnati dall'architetto per committenti diversi. I tavoli di lavoro con gambe nichelate su rotelle sono, ad esempio, prototipi per Flexform; la scala metallica è un prototipo di quelle disegnate per gli edifici della catena americana di negozi di abbigliamento "Esprit". Nella foto a sinistra e nella foto grande: due immagini del soppalco con le grandi vetrate scorrevoli aperte sulla sala di progettazione. Nelle altre due foto il piano inferiore, e precisamente la zona della scala e l'estremità opposta del salone. I piani dei tavoli e i contenitori a parete sono di faggio evaporato. Lampade industriali o di Azucena, ventilatori di Vortice al soffitto e, sempre al soffitto, il meccanismo del carroponte che molto spesso si trova negli ambienti ex industriali e che, pure molto spesso, viene conservato: o perché demolirlo è inutile e costoso o perché fa piacere non estromettere completamente il passato.

● *Like the sliding glazed walls, the other pieces included among the studio's equipment are also prototypes taken from products designed by the architect for various clients. The work-tables with nickel-coated legs on wheels, for example, are prototypes made for Flexform; the metal staircase is a prototype for the ones designed for the American clothing chain store "Esprit". Top left, and in the large photo: two views of the gallery and the large sliding windows opening onto the design room. The other two pictures show the ground floor, or to be exact, the staircase zone and the far end of the main room. The work tops and wall cupboards are in steam-whitened beech. Industrial or Azucena lamps, ceiling fans by Vortice and, again on the ceiling, the mobile bridge mechanism very often found in former industrial interiors: very often this is preserved, simply because it would be pointless and costly to do otherwise, or because it is a pleasure not to totally abolish all traces of the past.*

ON THE THAMES IN CENTRAL LONDON

project by
Julian Powell-Tuck and Mark Lintott

La Blackhoe era una chiatta costruita intorno al 1930 per il piccolo cabotaggio nell'estuario del Tamigi. Così com'era non serviva ormai più, ma invece della demolizione le è toccato un destino di rinascita. Ha avuto due fortune: essere comprata da uno svedese che vive soprattutto a New York ma che aveva bisogno di una casa anche a Londra, e risalire una lunga lista d'attesa trovando infine un ancoraggio permanente sull'Old Ferry Wharf, la vecchia banchina dei traghetti in Chelsea. Ora ha completamente cambiato faccia e destinazione: ripulita, ristrutturata, trattata come una casa occasionalmente posata sull'acqua e non come una barca occasionalmente usata come casa, spicca con la sua mole e con la sua sobria eleganza fra la miriade di troppo pittoresche e un po' zingaresche houseboat che popolano questa riva del fiume.

The Blackhoe was originally a Thames Estuary lighter, built around 1930. No longer of any use, it should have been scrapped, but fate stepped in and gave it a new leash of life. It was lucky in two respects, for it was bought by a Swede who lives most of the time in New York and who also needed a London home, and it has found permanent mooring at Old Ferry Wharf (for which there is a long waiting list) on Chelsea Embankment. Now both its aspect and function have changed. Remodelled, decorated, and treated as though it were a home that just happened to be floating on the river instead of a boat occasionally used as a home, its size and sober elegance make it stand out among the myriad of excessively picturesque houseboats that throng this part of the river.

● Lo spazio non manca. Al livello superiore quasi tutta la superficie disponibile (eccetto i due passaggi laterali scoperti e il ponte di prua riparato da tendoni) è occupata dal soggiorno. Questo è un grandissimo ambiente rettangolare illuminato da una fila di finestre su entrambi i lati lunghi, da un lucernario, e dalla porta d'ingresso con ante di vetro chiudibili a libro, che va praticamente da parete a parete e si affaccia sul ponte di prua. In fondo c'è una stufa con due porte ai lati che conducono in cucina. Al centro un boccaporto comunica con il ponte inferiore. Lo si vede aperto in primo piano nella foto piccola; quando è chiuso (foto grande) si unisce al pavimento di teak. Il committente aveva chiesto il tutto-bianco e pochissimi mobili. Desiderio rispettato, se non alla lettera, nella sostanza. Qualche colore è stato introdotto, ma assai parcamente e solo per dare risalto agli spazi e ai volumi: il risultato resta quello di una grande essenzialità.

ON THE THAMES IN CENTRAL LONDON

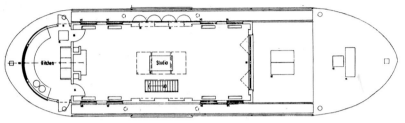

pianta del ponte superiore
upper-deck plan

pianta del ponte inferiore
lower-deck plan

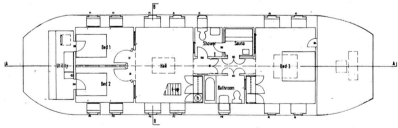

● *There is definitely no lack of space here. On the upper level, almost all the available space (with the exception of the two uncovered side passages and the foredeck shaded by awnings) is taken up by the living area. This spacious area is illuminated by windows running along both sides of the boat, and by the glass-panelled folding door, which stretches almost from wall to wall and which overlooks the foredeck. A stove stands at the end, with two doors leading into the kitchen. In the centre, a hatch communicates with the lower deck. This can be seen open in the small photo; when closed (large photo), it forms part of the teak flooring. The client had specified that he wanted very little furniture, and that everything was to be white. His wishes were respected in the main, even if not always to the letter. Some touches of colour have been introduced — sparingly, though, and only in order to set off the spaces and size. The result is one of supreme essentiality.*

● La grande porta spalancata fa da cornice a un magnifico quadro o, se si preferisce, alla scena di un film proiettato su un grande schermo: la città nella luce del crepuscolo e i lampioni appena accesi che si riflettono nell'acqua. Dentro la stanza, sul vecchio pavimento di teak lucido, colori quieti e ben dosati. Nero e bianco nel tappeto "Black Magic" di Eileen Gray — il disegno è degli anni Trenta — steso vicino alla stufa (vedi la foto alla pagina precedente). Grigio, crema e nero nell'altro tappeto (foto grande qui a lato) realizzato per questa casa su disegno di Sally Greaves-Lord. Questa artista è anche l'autrice dei tessuti di rivestimento delle poltrone e dei divani (poltrone disegnate da Julian Powell-Tuck per J. Cinnamon Ltd. e divani fatti da Hitch Mylius di Londra) e delle "ombre" grigie che si notano su alcuni tratti delle pareti: ombre che delicatamente toccano le superfici per indirizzare l'occhio su diversi piani e prospettive. Nella foto piccola si vede ancora il boccaporto aperto e, più oltre, un volume bianco rettangolare: esso contiene e chiude la scala che scende alle camere da letto.

ON THE FOURTH FLOOR OF A TYPICAL MILAN BUILDING

sezione longitudinale
longitudinal section

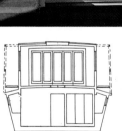

sezione trasversale
cross section

● When dusk falls, and the streetlamps have just been turned on, their reflections shimmering in the water, the large open door seems like a frame surrounding a picture, or a scene projected onto a big screen. Tranquil, well-measured colours are found inside, together with the old, polished teak flooring: the "Black Magic" rug near the stove (photo previous page) is an original 1930s pattern by Eileen Gray in black and white; the other rug (large photo), specially designed for this home by Sally Greaves-Lord, is in grey, cream, and black. This artist also created the coverings for the armchairs and sofas (armchairs designed by Julian Powell-Tuck for J. Cinnamon Ltd., sofas by Hitch Mylius). She also created the grey "shadows" seen on some parts of the walls — shadows touch the surfaces in order to direct one's gaze to the different levels and prospects. The hatch can once again be seen in the small photo; the white, rectangular volume further to the back contains the stairs leading down to the bedrooms.

● La cucina è a poppa (foto a sinistra) ed è come un belvedere. Il grande banco di lavoro è stato costruito appositamente per seguire la linea curva della barca ed è sovrastato da una fascia continua di finestre con vista a 180 gradi. Per schermare i rumori del traffico del vicino lungofiume sono stati installati — qui come nel resto della casa — vetri acusticamente isolanti. Il piano inferiore (foto a destra) è occupato da una hall centrale, dalle camere da letto (due per gli ospiti e una padronale), dal bagno, dalla doccia, dalla sauna e da locali di deposito e guardaroba ricavati a prua e a poppa. Anche qui le sapienti ombre grigio-marmo producono effetti prospettici suggestivi che accentuano il carattere di "casa" anziché quello di "barca". Quando si aprono certi sportelli nelle pareti, la luce entra dagli oblò (foto piccola); solo nella camera del padrone di casa (foto in basso) oltre agli oblò c'è proprio sopra il letto un boccaporto che, tempo permettendo, si apre sul ponte di prua e a chi è sdraiato consente di guardare direttamente il cielo, senza alcun diaframma.

● Situated at the aft end, the kitchen is like an observatory. The commodious worktops and cupboards were specially made to follow the curve of the bows; the sweep of window affords a 180° view. Double glazing was fitted here as in the rest of the house, to keep out traffic noise. The lower floor (photos on right) contains a central hall, bedrooms (two for guests and one principal one), bathroom, shower, sauna, and storage holds and cupboards situated fore and aft. Here, too, the clever marble-grey shadows conjure up lines accentuating the "house" aspect rather than the "boat" aspect. Light enters from the portholes when doors on the sides are opened (small photo). The master bedroom (right) has portholes too, as well as a hatch directly over the bed. When the weather is fine, this opens out onto the foredeck, and whoever lies back on the master bed is given a direct, unhampered view of the sky.

ON THE THAMES IN CENTRAL LONDON

Algido, duro, tecnologico, il metallo è considerato in campo architettonico il materiale moderno per eccellenza. In realtà, se impiegati con estro e sensibilità, anche l'acciaio e l'alluminio possono venire trasformati, ammorbiditi, resi di volta in volta più gentili o più "spaziali". Il capitolo si apre con una argentea "capanna" immersa nel bush australiano, continua poi con uno scintillante night londinese, nel quale il metallo prende forme morbidamente inconsuete, e con un avveniristico appartamento, anch'esso londinese, rinchiuso nella bianca e tradizionalissima scatola di un edificio vittoriano. Infine, a Tokio, il complesso gioco di contrasti di un grande spazio di lavoro.

Metallo

METAL

Cold, hard and technological, architects today consider metal to be the contemporary material. If used with verve and sensitivity, however, even steel and aluminium can be transformed and made to look anything from soft to sci-fi. Our first visit here is to a silvery pavilion in the Australian bush. Then we move on to a gleaming London nightclub in which metal has been given unusually gentle configurations. Next, we visit a futuristic London apartment, contained within the white shell of a traditional Victorian building. And lastly, in Tokyo, we see the complex play of contrasts in a commercial centre.

A Glenorie, nel "bush" a nord di Sydney, l'architetto Glenn Murcutt ha costruito — per committenti adeguati — una delle sue case più riuscite e innovative, frutto di grande sensibilità nella ricerca di una integrazione fra architettura, clima e natura. Nulla a che fare con il diffusissimo bungalow che ripete acriticamente in Australia un modello di derivazione inglese. Nulla a che fare con la romantica capanna nel bosco che vorrebbe perdere la propria identità di cosa costruita dall'uomo facendosi inghiottire dalla natura. Ma un deciso, elegante "capannone" o "vagone" metallico, lungo trenta metri, largo sette, che con la natura cerca ben più sottili corrispondenze. Con le sue argentee ondulazioni la casa splende nella selva chiara dove sui cespugli bassi, sulle acacie, le grevillee e le banksie dominano gli eucalipti dal profumo acuto e dalla foglia lanceolata, che al variare della luce del giorno varia dal verde al grigio e dal grigio all'argento. Le sottili colonne della struttura tengono la casa quasi galleggiante sul suolo e sui massi di pietra arenaria, in un contatto delicato eppure intenso come intensa e delicata è la vegetazione che prorompe dalla terra e culmina nelle aeree volte formate dal fogliame.

Nel bush
australiano
un padiglione
di lamiera

A CORRUGATED IRON HOUSE IN THE AUSTRALIAN BUSH

Glenn Murcutt, architect

At Glenorie, in the bush north of Sydney, architect Glenn Murcutt has built one of his most original houses for clients who approve wholeheartedly of his work. It is the result of a highly sensitive investigation into the integration of architecture, climate and nature — a far cry from the ubiquitous bungalow found all over Australia, in a style which unquestioningly apes the English model. It is a far cry, too, from the romantic woodland cabin which attempts to lose its own man-made identity by plunging itself into the midst of nature. On the contrary, it is a decisive, elegant metal "shed" or "railway carriage", thirty metres in length and nearly seven metres in width, which seeks a far subtler interrelation with nature. The house, with its silvery, undulating curved roof glitters in the silvery vegetation. The undergrowth, acacias, grevilleas and banksias are dominated by eucalyptus trees — their lance-shaped leaves let off a pungent smell, and change from green to grey to silver, depending on the light. The slender columns appear to make the house hover over the ground, making delicate but intense contact with the equally delicate and intense vegetation, which thrusts upwards to form tall, leafy canopies.

A CORRUGATED IRON HOUSE IN THE AUSTRALIAN BUSH

● Dal punto di vista geologico il sito è caratterizzato da una serie di banchi di pietra arenaria che corrono linearmente a diversi livelli, in direzione nord-est/sud-ovest. Su uno di questi banchi, il secondo partendo dal livello più alto, è situata la casa; la sua ubicazione e il suo orientamento sono stati dettati dalla morfologia del terreno di cui anche con la sua forma essa asseconda l'andamento orizzontale. Ecco dunque, in questa foto, come appare fra gli alberi la lunga e sottile costruzione che così poeticamente si intromette nel "bush";

● *Geologically speaking, the site consists of a series of sandstone shelves running north-east to south-west in linear plateaus. The house is situated on the second highest of these. Its position and orientation were laid down by the land formation, whose horizontal movement it mirrors. This photo shows the long, slender construction, inserted in the bush. Its careful, specific relationship with its surroundings endows*

ed è questa relazione attenta e specifica con l'ambiente circostante che dà all'architettura una connotazione originale e squisitamente australiana, non mutuata da modelli estranei.

Bisogna dire che lo sforzo dell'architetto è stato sostenuto da una comunanza di intenti e di sensibilità con la coppia di artisti che gli commissionò la casa, Lyn Eastaway e Sydney

Ball: Ball — da vent'anni uno dei più quotati pittori australiani — si ispira per il suo lavoro ai miti, ai totem, ai paesaggi del suo paese.

the house with an original Australian flavour, totally untouched by ideas from elsewhere. The architect's efforts, were backed up by the sense of purpose and

sensitivity he shared with Lyn Eastway and Sydney Ball, the artist couple who commissioned the house. Sydney Ball has been one of the most successful

Australian painters for the past twenty years. His work draws inspiration from his country's mythology, totems and landscape.

A CORRUGATED IRON HOUSE IN THE AUSTRALIAN BUSH

● La casa-galleria è circondata da dieci ettari di terreno. Nelle foto a sinistra: alcune immagini di questo intorno. Nella prima, il tronco di un eucalipto — albero a rapida crescita (fino a centocinquanta metri d'altezza) originario proprio dell'Australia — che si sta denudando della corteccia; nell'ultima, una costruzione agricola in lamiera ondulata. La lamiera ondulata, ovviamente con una finitura meno approssimativa (ha subito un processo di galvanizzazione), è il materiale usato dall'architetto Murcutt

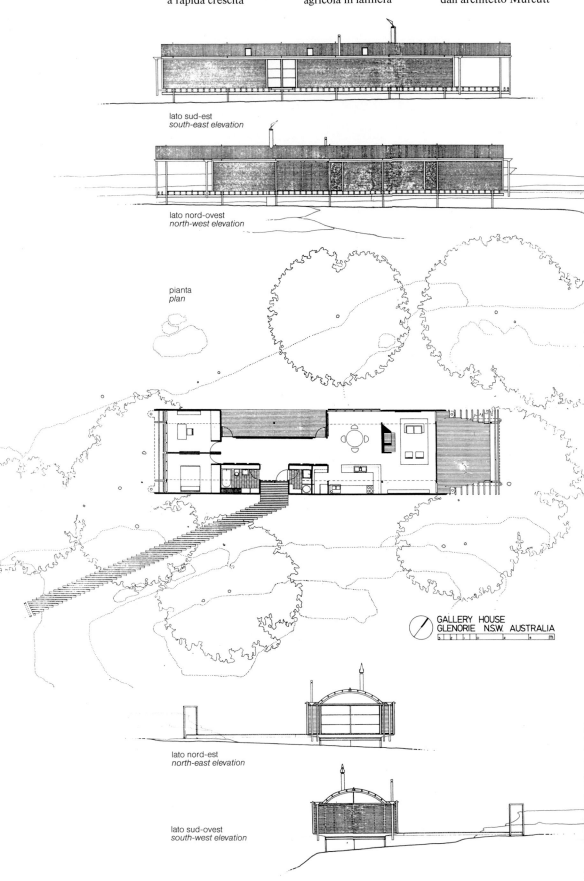

lato sud-est
south-east elevation

lato nord-ovest
north-west elevation

pianta
plan

⊘ GALLERY HOUSE
GLENORIE N.S.W. AUSTRALIA

lato nord-est
north-east elevation

lato sud-ovest
south-west elevation

● The house-cum-gallery is situated on ten hectares of land. Left: some views of the surroundings. The photo at the top shows a detail of strips of bark peeling off the trunk of a eucalyptus tree. Fast growing, the eucalyptus, or gum tree, is native to Australia and can grow to heights of up to 300 feet. The bottom photo on the left shows an agricultural building in corrugated iron. Corrugated iron — obviously with a less rough and ready finish (it was galvanized) — was the material Glenn Murcutt used for the exterior of the

per le superfici esterne della casa, unitamente all'alluminio anodizzato per le veneziane che schermano le grandi vetrate. Nella foto qui sotto si vedono i due materiali e si vede anche la particolare forma dei doccioni che raccolgono le acque piovane. L'uso del metallo (anche nella struttura portante) non è solo una scelta estetica ma ha una funzione antincendio; a questo scopo la casa è inoltre dotata di un sistema di erogatori d'acqua a spruzzo che all'occorrenza permettono di intervenire immediatamente sia sull'edificio sia sul terreno circostante.

house, combining it with anodized aluminium blinds which shade the large windows. The two materials are shown in the photo above, together with the unusually shaped rainwater gutters. The use of metal (also used for the load-bearing structure) was not merely an aesthetic choice — it has an antifire function as well. Furthermore, the house is generously fitted with sprinklers which can amply water both it and the site at a moment's notice.

A CORRUGATED
IRON HOUSE
IN THE AUSTRALIAN
BUSH

● Nella foto piccola in basso si vede l'accesso alla casa: una passerella in diagonale che dal livello del terreno sale dolcemente al livello della costruzione. La foto qui a sinistra mostra il fronte verso sud-ovest — uno dei lati corti del rettangolo — con le veneziane abbassate della camera da letto e dello studio. Nella foto alla pagina a lato, il fronte opposto: si vedono la vetrata del soggiorno e la veranda che si protende nella vegetazione. Dice il padrone di casa: "Il nostro giardiniere è la natura".

● *The bottom photo shows the approach to the house: a diagonal bridge rises gently from the ground level to the building level. The photo on the left shows the south-west side — one of the short sides of the rectangle — with the bedroom and study blinds lowered. Facing page: the opposite end showing the living-room windows and the verandah opening out towards the vegetation. The owner says: "Nature is our gardener".*

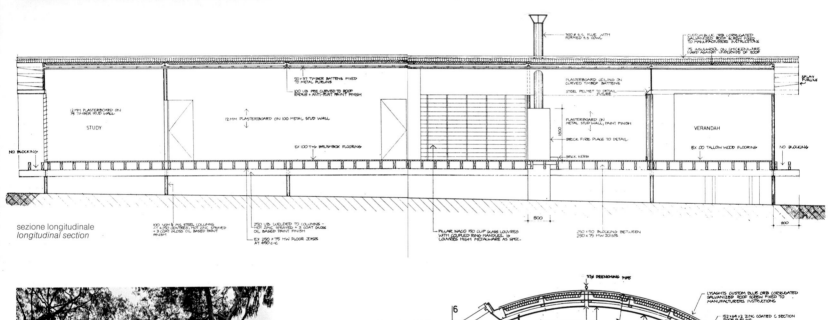

sezione longitudinale
longitudinal section

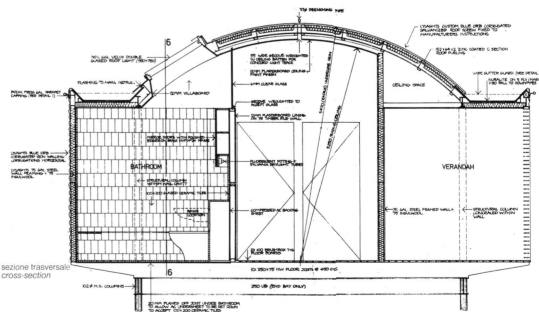

sezione trasversale
cross-section

• Il lungo rettangolo comprende all'estremità sinistra una camera da letto e uno studio, al centro un corridoio-galleria con due porte di accesso a una veranda laterale ricavata entro il perimetro della costruzione, all'estremità destra la zona giorno che si prolunga all'esterno con una piattaforma coperta. Un tetto a volta ribassata corre al centro per tutta la lunghezza dell'edificio e si appiattisce sui lati lunghi (vedi la sezione trasversale).
La volta ribassata dà allo spazio interno la gradevolezza di una conclusione a curva e al tempo stesso impedisce che un volume eccessivo di aria calda si raccolga in alto durante la stagione estiva e si diffonda poi per tutta la casa, come invece avviene nelle costruzioni tradizionali dai tetti molto spioventi, non adatti al clima australiano.

• *The long rectangle contains a bedroom and a study in the left end, in the centre a corridor-gallery with two doors leading to a side verandah built within the confines of the rectangle, and in the right-hand end the day area which extends outside as a covered platform. A shallow curved roof runs down the middle of the entire length of the building, flattening out along the long sides (see cross-section). The graceful curve of the shallow arch adds a pleasant touch to the interior. It also prevents too much hot air from collecting overhead and then spreading to the rest of the house during the summer season, as happens with traditional, steeply pitched roofs, which are unsuited to the Australian climate.*

● Vicino alla casa c'è un altro "capannone" di lamiera ondulata con il tetto a volta (vedi le tre foto a sinistra): un sentiero fra gli alberi, che sembra creato semplicemente dal continuo calpestio, collega le due costruzioni. Questa seconda serve a Sydney Ball come studio e deposito dei quadri. È un grande locale nudo in cui la luce entra principalmente dall'alto, cioè dalle fasce di vetro inserite nella curvatura del tetto.

● *Near the house there is another corrugated steel "shed" with a curved roof (three photos on left). A pathway through the trees seems to have been made by the continuous passage of feet, and connects the two buildings. This second building is Sydney Ball's studio and picture store — a large, bare room in which light enters mainly from above, i.e. from the glazed strips fitted into the curved roof.*

• Torniamo all'abitazione, che è anche galleria d'arte. Le pareti del grande corridoio che collega la zona giorno alla zona notte — è anche il primo ambiente che si trova entrando in casa — servono appunto per appendere i quadri e principalmente quello grandissimo (5 metri per 2) che si vede sulla sinistra nella foto in basso alla pagina a lato. Il corridoio accentua l'effetto-cannocchiale che la casa comunque ha per la sua struttura. Da una estremità all'altra, dalla veranda alla camera da letto e allo studio, per trenta metri lo sguardo corre in linea retta, e sfocia sempre nel "bush". Nella pagina a lato, in alto: la cucina, che si affaccia sulla zona pranzo con un basso muretto. In tutta la casa il pavimento è di listoni di legno trattati con vernice ignifuga. Al centro, nella foto piccola: la camera da letto e, in evidenza, la struttura del soffitto. La foto qui sotto è ripresa dal soggiorno verso la veranda: si può essere stregati da un'immersione così intensa nella luminosa foresta australe.

• We return to the house, which is also an art gallery. The walls of the big entrance corridor connecting the day and night areas are used to display paintings, principally the enormous one (5 metres by 2) which can be seen at the left of the bottom photo on facing page. The corridor accentuates the telescope effect which the structure confers on the house. From one end of the house to another, from the verandah to the bedroom and the study, you gaze in a straight line for thirty metres and always end up by seeing the bush. Facing page, top: the kitchen which looks into the dining area, and is separated from it by a low wall. The floor throughout is wooden planking treated with fire-resistant varnish. Small photo centre: the bedroom, showing the roof structure. The photo above shows the verandah from the living-room: it would be easy to be bewitched here, immersed so intensely in the bright Australian bush.

Se la parola acciaio facilmente evoca lo stile high-tech, in questo caso bisogna forse parlare di post-high-tech. Nessuna delle durezze che di solito emanano dal rigore del metallo è infatti presente in questa realizzazione, dove l'acciaio asseconda una morbidezza di forme e di particolari architettonici che ricorda piuttosto una scenografia barocca. Questo luogo si chiama Legends ed è un elegante locale — ristorante di giorno e nightclub dalla tarda serata fino alle tre del mattino — situato nel centro di Londra, in Mayfair; è stato inaugurato nel gennaio del 1987 dopo cinque mesi di lavori di ristrutturazione che ne hanno completamente cambiato l'atmosfera e l'immagine. Distribuito su due piani più un mezzanino, il locale si incentra su una grande scala aerea e ricurva che, oltre a stabilire una continuità visiva fra tutti i piani, calamita gli sguardi e colpisce per il suo andamento maestoso associato allo scintillio del metallo: nulla di più adatto per spettacolari entrées di gente ben vestita, desiderosa di guardare e di farsi guardare.

Nero di fondo, bagliori inox: un night

BLACK AND GLITTERING STAINLESS STEEL FOR A NIGHTCLUB

Jiricna Kerr Associates, architects

● A sinistra: foto di particolare di alcuni materiali scelti per la ristrutturazione. Nella pagina a lato: l'inizio della scala nella sala da ballo al seminterrato. Il legno (acero) è stato usato solo per il pavimento della pista; le sedie sono di filo metallico (design di Charles Eames). Parte dell'illuminazione è ottenuta con fibre ottiche tese vicino al soffitto in fasci che richiamano i tiranti della balaustra della scala.
● *Left: detail of some materials chosen for the renovation. Facing page: the start of the staircase in the basement ballroom. The wood (maple) was used for the dance-floor. The chairs are made of metal wire (design by Charles Eames). Part of the lighting uses fibre optics echoing the steel cables of the balustrade.*

If the word steel automatically brings high-tech to mind, perhaps post-high-tech would be the aptest term to use in this instance. None of the stiffness normally associated with the severity of metal are to be found here: the steel enhances a softness of form and architectural detail that are reminiscent of a baroque stage set. The name of these elegant premises is Legends, a restaurant by day and a nightclub from late evening until 3 a.m. Located in Mayfair, in the heart of London's clubland, it opened in January 1987 after five months of renovation had gone into completely changing its image and atmosphere. It occupies two floors plus a mezzanine level, all focussed around a light curving staircase: not only does this provide a visual link between the different levels, its strikingly majestic structure and shimmering metal make it particularly eye-catching. A perfect place for well-dressed nightclubbers to be seen in — and where they can gaze at other well-dressed nightclubbers too.

● Qui sotto: una veduta più ampia della sala da ballo con l'illuminazione a fibre ottiche. Nella pagina a lato: lo svolgersi della scala ai vari piani nell'ampio e luminoso vano che è il "fuoco" dell'intero locale. Le pareti del vano sono trattate con uno speciale intonaco chiaro che ricorda la compattezza del marmo. I gradini della scala sono di fogli di alluminio forato, materiale usato anche per rivestire le colonne e renderle scintillanti (in primo piano a destra nella foto). La balaustra è invece formata da un corrimano di tubo metallico, da elementi verticali a sagoma sporgente in trafilato piatto di acciaio, e da cavi metallici tesi in orizzontale parallelamente al corrimano. Il risultato è di grande impatto visivo e di estrema leggerezza. Nella foto si intravvede anche il bar, che ha sedili appositamente disegnati, in cuoio nero e acciaio cromato.

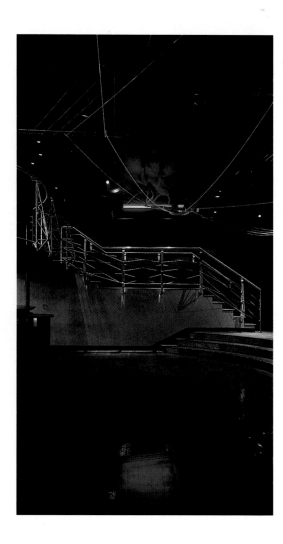

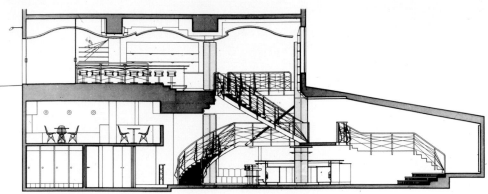

sezione longitudinale
longitudinal section

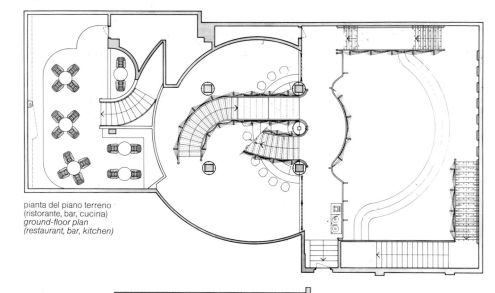

pianta del piano terreno
(ristorante, bar, cucina)
ground-floor plan
(restaurant, bar, kitchen)

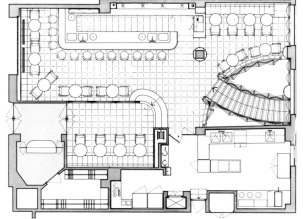

pianta del mezzanino
(tavoli più appartati e vano della scala)
mezzanine plan
(secluded tables and stairwell)

BLACK AND GLITTERING STAINLESS STEEL FOR A NIGHTCLUB

● *Above: a wider view of the ballroom with fibre optic lighting.*
Facing page: the sweep of the staircase to the various floors in the spacious, luminous stairwell, the focal point of the whole setting. Its walls have been finished with a special light-coloured plaster that has something of the solidity of marble about it.
The stair treads are of perforated aluminium, also used for cladding the pillars and making them sparkle (right foreground in photo). The balustrade consists of a tubular metal handrail, vertical projecting steel strips, and horizontal cables running parallel to the handrail. The result is a striking visual impact, yet light and airy.
The bar can also be seen in the photo, with its custom-designed seats in black leather and chrome-plated steel.

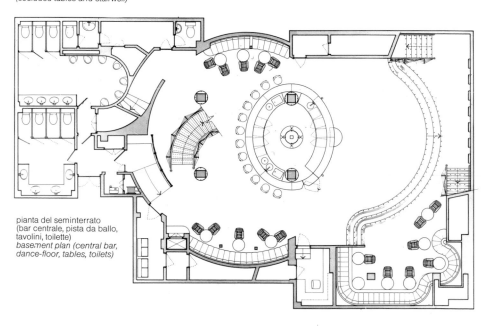

pianta del seminterrato
(bar centrale, pista da ballo, tavolini, toilette)
basement plan (central bar, dance-floor, tables, toilets)

• Nella foto di particolare qui a destra si leggono con chiarezza i vari elementi metallici che formano la balaustra della scala. Nella foto alla pagina a lato si vede l'arrivo della scala nel salone del piano terreno (il più alto dei piani che compongono il Legends) dove si trova il ristorante. A una parete sono applicate eleganti "vele" di tessuto che schermano le lampade e danno una luce diffusa molto dolce. Acquistano così rilievo i piccoli punti di luce che costellano il soffitto. Esso è fatto di alluminio nero, ma le ondulazioni "aaltiane" danno a questo cielo scuro una particolare morbidezza che, pur nel contrasto di colore, bene si sposa alla morbidezza del pavimento di travertino. Questa è peraltro una caratteristica dell'intero progetto: materiali "duri" usati quasi provocatoriamente con risultati "morbidi", spazi e luci "drammatici" o comunque di forte personalità che si fondono senza stridore alcun in un tranquillo fluire.

BLACK AND GLITTERING STAINLESS STEEL FOR A NIGHTCLUB

• *In the detail on the right, the various metal elements going to make up the balustrade can be clearly seen. The photo on the facing page shows the staircase where it joins the ground-floor level (the topmost Legends floor) where the restaurant is located. Elegant fabric "sails" are attached to one wall, screening the lamps and providing a soft, diffused light. This gives added emphasis to the little lightpoints studding the ceiling. This is made of black aluminium, but an Aaltoesque wave formation bestows this dark sky with a special softness: despite the contrasting colours, it blends well with the softness of the travertine floor. This is characteristic of the whole project. "Hard" materials have been used almost provocatively to produce "soft" results, and "dramatic", or at least strong-featured spaces and lighting have been merged together without the slightest hint of discord.*

VICTORIA 2001

Jan Kaplicky & David Nixon/
Future Systems, architects

Il bisogno di "stare nell'oggi", quando non addirittura di trovarsi già pronti per il futuro, emerge chiaramente nella casa londinese che due progettisti, titolari di uno studio di architettura non per nulla battezzato Future Systems, hanno ideato per Deyan Sudjic, giovane critico e direttore della rivista "Blueprint". Dietro la facciata bianca del composto edificio vittoriano, fra i vari appartamenti del tutto tradizionali si nasconde al terzo piano un outsider d'aspetto avveniristico. Lo scopo primo della "modernizzazione", a quanto dicono gli architetti, è stato quello di creare una serie di volumi relativamente neutri e spaziosi con caratteristiche progettuali innovative e adatti a contenere mobili e oggetti provenienti da contesti culturali disparati; le nuove installazioni hanno preso la forma di un gruppo di blocchi a sandwich inseriti entro la "scatola" vittoriana.

The need to "live in the present", to be or appear to be up-to-date, and even ready to face the future, is clearly expressed in this London home designed for Deyan Sudjic, a young critic and the editor of "Blueprint" magazine, by two architects, partners of a consultancy appropriately named Future Systems. Behind the white front of this sober Victorian house, a futuristic outsider occupies the third floor, concealed amongst the other, thoroughly conventional apartments. The primary objective of the "modernization" was, as the architects define it, to create a relatively neutral and spacious series of volumes that would include innovative design, and allow for choosing and arranging furniture and personal objects from a wide variety of sources. The new installations take the form of a group of individual elements sandwiched within the Victorian "shell".

● Nella pagina precedente: la facciata, il particolare di una porta attraversata da una breve rampa, e un'immagine molto ingrandita del pavimento di alluminio – brillante ma non scivoloso – con uno scorcio della rampa.
● *Previous page: the façade, a detail of a doorway crossed by a short ramp, and a blown-up shot of the shiny, non-slip aluminium flooring; part of the ramp can be seen on the right.*

● Con l'espressione "effetto sandwich" si rende l'immagine dei vari strati che, a partire dal soffitto e dal pavimento originari (lasciati intatti), sono intervenuti nell'operazione di rinnovamento. I quattro ambienti principali contengono infatti quattro grandi piattaforme dalla superficie di alluminio, sollevate dal suolo e con gli angoli arrotondati; sotto di esse passano tutti i cavi degli impianti tecnici (vedi lo schema nella pagina a lato). Quattro teli di nylon tesi poco sotto il soffitto (in grigio nella rappresentazione isometrica) ripetono il disegno delle piattaforme, sottolineando in tal modo il nuovo sistema di piani orizzontali oltre a migliorare l'acustica degli ambienti. Anche le porte sono state ridisegnate. Quella riecheggiante l'interno di un'astronave, vista alla

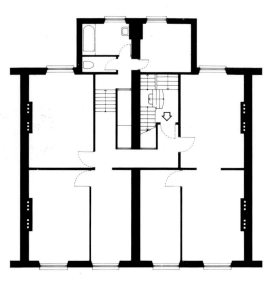

pianta precedente
previous plan

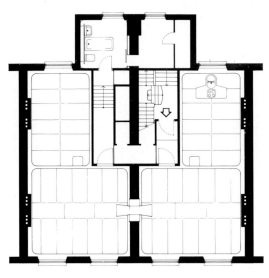

pianta attuale
present plan

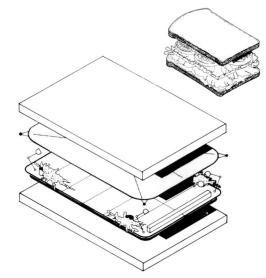

l'effetto sandwich
the sandwich effect

VICTORIA
2001

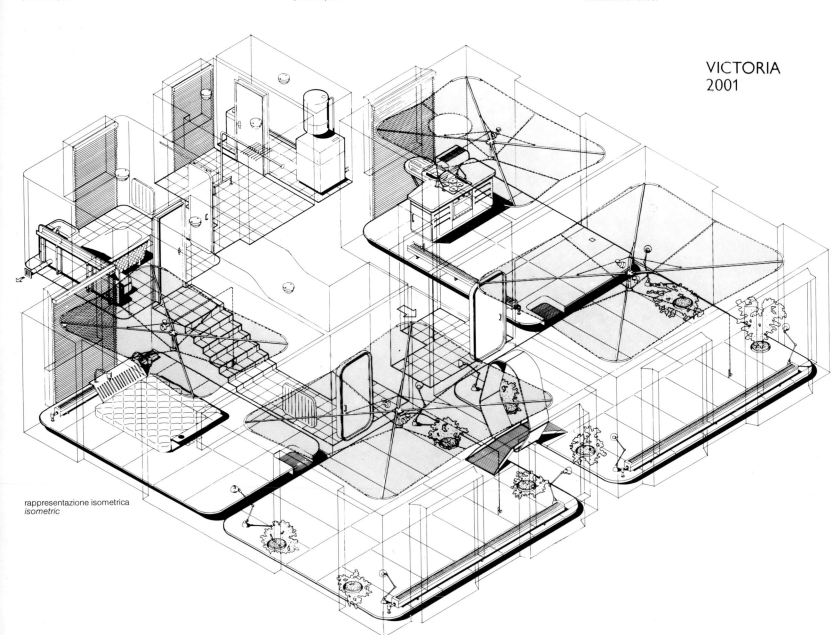

rappresentazione isometrica
isometric

pagina precedente, collega i due locali più ampi destinati alla zona giorno; la rampa serve per render possibile il passaggio di carrelli con cibi o bevande. In queste foto, due particolari di una piattaforma attrezzata.

● The expression "sandwich effect" aptly describes the various strata which were added above the original floor and below the original ceiling (both of which were left intact) in the course of the modernization. The four main rooms were fitted with raised platforms with aluminium surfaces, rounded off at the corners; the new heating, plumbing, power and telephone distribution systems all pass underneath (see diagram below). Four nylon fabric canopies (shown in grey in the isometric) stretched out just beneath the ceilings complement the raised platforms, emphasizing the new system of horizontal planes and improving the acoustic qualities of the spaces. The doors too were redesigned: the one like a space module shown on the previous page connects the two larger rooms destined for use as a day zone; the ramp is designed to allow a trolley with food and drinks to be moved from one room to the next. In the photos on this page: two details of an equipped platform.

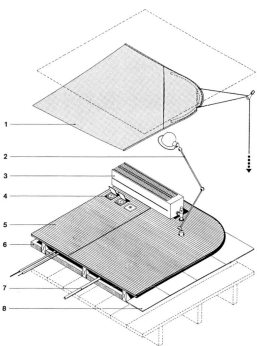

1. telo a soffitto; 2. lampada; 3. radiatore; 4. prese TV, telefono ed elettricità; 5. pavimento di alluminio; 6. strato isolante; 7. passacavi; 8. gomma.
1. ceiling canopy; 2. lamp; 3. radiator; 4. electricity, TV and telephone sockets; 5. aluminium floor; 6. insulation; 7. services; 8. rubber flooring.

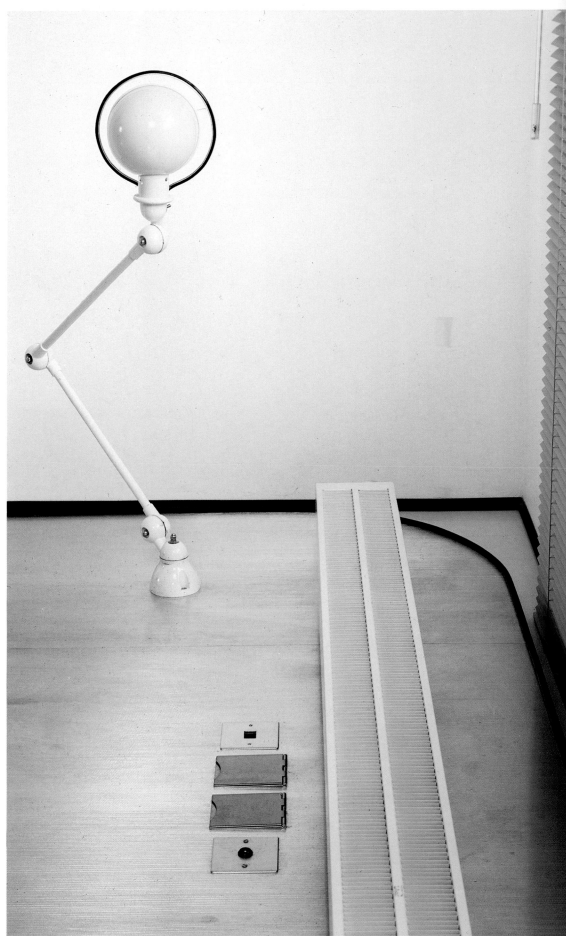

● Dai particolari all'immagine generale degli ambienti. Chi mai potrebbe sospettare il guscio vittoriano? Le scelte sono portate fino in fondo con estrema convinzione: essenzialità, nudità, biancore, splendore metallico. A destra, il pranzo: sedie "Spartana" di Zanotta in alluminio, tavolo di Cassina, lampada a braccio snodabile da tavolo (comprata da London Lighting) usata come lampada da terra. Anche le veneziane sono di alluminio, come l'intradosso della porta. In cucina (qui sopra) ovviamente è stato abbandonato ogni schema tradizionale; in mezzo alla stanza soltanto un blocco di lavoro disegnato ad hoc, che contiene tutto (anche un bollitore di Alessi).

● *Here are some overall views. You would never suspect the presence of the Victorian "shell" underneath it all. There is nothing half-hearted about the scheme: the basic concepts – essentiality, bare rooms, white surfaces, shiny metal – have been applied throughout with great conviction. On the right: the dining-room, furnished with "Spartana" aluminium chairs from Zanotta, a table from Cassina, and a table lamp (from London Lighting) with an articulated stand, used as a floor lamp. The louvre blinds and door intrados are also of aluminium. The layout of the kitchen (above) is of course equally unconventional; all the equipment – including even an Alessi kettle – was concentrated in a specially designed "culinary workstation" in the middle of the room.*

VICTORIA
2001

VICTORIA
2001

● Quasi sempre, negli edifici vecchi, i bagni vanno completamente rinnovati e l'installazione delle attrezzature spesso pone alcuni problemi. In questo caso li vediamo risolti con una brillante semplificazione, peraltro coerentissima con le scelte adottate negli altri locali. Lavabo, wc e vasca (tutti e tre della italiana Ideal Standard) sono stati riuniti in un unico blocco che lascia spazio attorno – lo stesso criterio usato in cucina – e ancorati a una paretina di alluminio che nasconde le tubazioni.

● Nella foto in basso, una delle nuove porte (dal corridoio d'ingresso verso il pranzo); dotata di un solido battente, di disegno diverso da quella vista prima, ricorda però sempre le porte a chiusura stagna di una probabile nave del futuro. Anche nella camera da letto – foto grande – non si sgarra. È un ambiente aperto sul soggiorno: sulla destra una porta e poi alcuni gradini che conducono al livello un po' più alto del bagno; sulla sinistra una piattaforma di

alluminio dagli angoli arrotondati, un gradino scavato nella piattaforma, e un letto – inutile dirlo – pure d'alluminio, disegnato per integrarsi alla piattaforma stessa. Dietro la testata del letto una grande veneziana d'alluminio; a sinistra una lampada "Jill" di Arteluce e poi ancora, non visibile nella foto, una poltrona di Rietveld della collezione "I Maestri" di Cassina. Tutto terribilmente elegante, terribilmente coerente, terribilmente contrario ai canoni della regina Vittoria.

● *In old buildings the bathrooms nearly always have to be rebuilt from scratch and the installation of the fittings often creates problems. In this case the problem has been solved by a brilliant simplification, totally in line with the design approach used for the other rooms. As in the case of the kitchen equipment, the fittings – handbasin, wc and bathtub (all Italian from Ideal Standard) – were combined in a single block, which was mounted*

on vertical aluminium panels concealing the plumbing, thus leaving space free around them.

● *In the photo below: one of the new doors (linking the entrance corridor and dining-room). It has a solid panel and, although different in design from the one illustrated on the previous pages, also recalls the hermetic doors of spaceships. The bedroom, shown in the large photo, is perfectly in line with the rest. It opens onto the living-room: on the right, a door and a few steps lead up to the bathroom, set on a slightly higher level. On the left, an aluminium platform with rounded corners, a step cut out of the platform, and a bed, naturally of aluminium, designed to form part of the platform. Behind the headrest is a large aluminium louvre blind. On the left, a "Jill" light from Arteluce. Not shown in the photo is a Rietveld armchair from Cassina's "I Maestri" collection. Everything is terribly elegant, terribly consistent, and terribly in contrast with the canons of Queen Victoria's time.*

THE CASSINA AND CASATEC OFFICES IN TOKYO

Perry A. King and Santiago Miranda
with Carlos Moya and Maria Castro,
architects

Nei quattro piani di un insolito edificio a pianta esagonale nel centro di Tokio hanno trovato sede le consociate Cassina Japan e Casatec (quest'ultima si occupa della commercializzazione e dell'inserimento dei prodotti). L'esterno dell'edificio è stato completamente avviluppato da vetrate continue a specchio, disposte su piani diversi in modo da riflettere e insieme spezzare il paesaggio circostante. È all'interno tuttavia che l'edificio ha subito le trasformazioni più radicali realizzate sfruttando e "traducendo" in soluzioni ad hoc i condizionamenti posti dal contenitore preesistente. Così le grosse travature di cemento armato sono state portate in vista per segnare i soffitti con il disegno a raggera della struttura; la frammentazione in più piani è servita per dare ordine alla distribuzione funzionale; le pareti, i pavimenti e le finiture sono stati ripensati per ingaggiare con gli altri elementi costruttivi un gioco continuo di contrasti.

Located on the four floors of an unusual, hexagonal building in central Tokyo are the head offices of the associated companies Cassina Japan and Casatec (the latter of which deals with product sales and marketing). The outside of the building is completely encased by continuous mirror glazing set on different planes, so as to reflect and at the same time to break up and animate the surrounding cityscape. However, it is the inside of the building that has undergone the most radical transformations, for which the restraints imposed by the pre-existent container have been exploited and "translated" into ad hoc solutions. As a result, the big concrete beams have been unfaced in order to show up the ceiling with the spoke-design frame; the fragmentation of space into multilevels lends order to the functional distribution; and the walls, floors and finishings have been modified to set up a constant play of contrasts with the other constructional elements.

● Un particolare della scala; le linee fredde delle ringhiere di acciaio cromato si intersecano in un gioco rigoroso.

● *A detail of the staircase. The cold lines of the chrome-plated steel baluster intersect to form an essential design.*

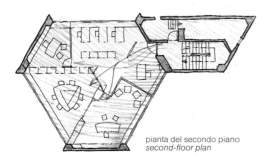

pianta del secondo piano
second-floor plan

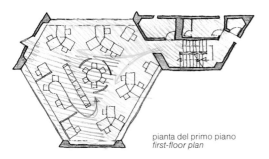

pianta del primo piano
first-floor plan

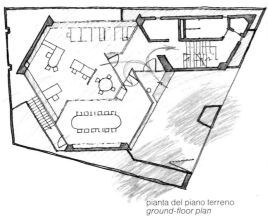

pianta del piano terreno
ground-floor plan

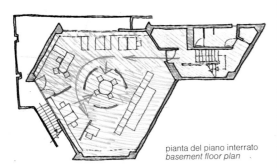

pianta del piano interrato
basement floor plan

● Nelle piante si vedono i quattro livelli dell'edificio: il piano interrato, dove trovano posto il settore progettazione e gli uffici Casatec; il piano terreno con l'ingresso, la sala per le riunioni e gli uffici amministrativi; seguono, al primo e al secondo piano, gli uffici marketing e la direzione. Le scale e i servizi sono alloggiati in un corpo di fabbrica trapezoidale, contiguo all'esagono principale. Nella foto: la scala.

● *The plans show the four levels of the building: the basement floor, where the design department and the Casatec offices are located; the ground floor with entrance, conference room and administrative offices; and the first and second floors, with the marketing and management offices. The stairs and services are housed in a trapezoidal block adjacent to the principal hexagon. In the photo: the staircase.*

● In questa pagina:
l'ufficio direzionale e la
sala per le riunioni del
secondo piano, arredati
con elementi dei sistema
"Solone" di Achille
Castiglioni e con le
poltroncine "Air Mail" di
King e Miranda. Tutti gli
ambienti di lavoro sono
stati pavimentati con
soffice moquette di
colore chiaro che
contrasta con l'ardesia e
il grès degli spazi di
servizio e delle scale.
Nella pagina a lato: gli
uffici del primo piano
destinati al marketing
delle due società. Nella
foto in alto: il particolare
della struttura di
cemento armato
riportata in vista; tra una
trave e l'altra è stata tesa
una controsoffittatura
reticolare cromata che
distribuisce
uniformemente la luce
nell'ambiente di lavoro.
Tutte le zone operative
sono state attrezzate con
i mobili dei sistemi
"Pianeta Ufficio" di
Mario Bellini e "Cable"
di King e Miranda. Le
varie zone di lavoro sono
state separate da grandi
schermi di tessuto
argenteo trapuntato
contenuto da una maglia
di fili di nylon.

● *Facing page: the management office and conference room on the second floor, furnished with units from the "Solone" system by Achille Castiglioni and with "Air Mail" easy-chairs by King and Miranda. Al the work areas are soft-chaired in pale colours that contrast with the slate and sandstone of the service areas and stairwell. This page: the first floor offices for the marketing departments of the two companies. First photo: detail of the concrete structure brought back into view; a chrome-plated false ceiling grid has been stretched between the trusses, which evenly distributes the downlighting into the work environment. All the operating zones have furniture from the "Pianeta Ufficio" and the "Cable" systems by Mario Bellini and by King and Miranda respectively. The various work zones have been separated by large silvery quilted fabric screens held together by a network of nylon threads.*

Non è facile parlare di legno,
anzi di architettura di legno,
senza parlare di architettura
nordica. E difatti, due dei sei
servizi compresi in questo
capitolo sono dedicati
rispettivamente a una casa tra le
bianche dune dello Jutland, in
Danimarca, e a un piccolo ma
elaboratissimo cottage immerso
in un grande bosco della
Finlandia centrale. Tutti e due,
ovviamente, di legno, ma tutti e
due con un fascino nuovo e
inaspettato che li rende
straordinari. E poi, altri quattro
modi di usare e di vivere il
legno: un vecchio silo
ristrutturato e diventato casa nei
dintorni di Chicago, un bizzarro
"tempio" post-moderno nel
Connecticut, un caffè in
Giappone, una grande casa
dove sembra di essere in
campagna ma si è in relatà nel
pieno centro di una metropoli.

Legno

WOOD

*Scandinavia automatically
comes to mind when speaking of
wood and wooden houses. This
said, two of the features in this
chapter deal with a house in the
white dunes of Jutland,
Denmark, and with a small but
meticulously thought out cottage
in the depths of a wood in central
Finland. They may be of wood,
but their unexpected appeal
makes them decidedly out of the
ordinary. The four other
examples show other ways of
using wood and living with it: an
old, remodelled silo outside
Chicago, a strange Postmodern
"temple" in Connecticut, a café in
Tokyo, and a spacious home that
appears to be in the country but
which, in reality, is anything but.*

IN
THE SAND DUNES
OF
JUTLAND

Claus Bonderup and Torsten Thorup, architects

Questo è un tratto della costa nord-occidentale della penisola dello Jutland, in Danimarca. Qui, vicino alle dune della spiaggia di Blokhus, una famiglia composta da marito, moglie e due figli adolescenti si è fatta costruire una casa che per la semplicità delle forme e la modestia delle dimensioni ricorda all'esterno le capanne dei pescatori del luogo. Né terrazzi né balconi — la spiaggia è molto ventosa — ma lisce pareti di legno e un tetto a due falde molto spioventi: il tutto dipinto di nero per attirare e conservare il tepore del sole. Questo aspetto di capanna nera non deve però trarre in inganno (del resto qualche particolare fa intuire già dall'esterno che proprio di pescatori non si tratta). Quando si entra, la scena cambia completamente.

This is a stretch of the northwest coast of Jutland in Denmark. Here, surrounded by the sand dunes flanking the beach at Blokhus, a family consisting of husband, wife and two teenage children have had a house built. Its simple shape and small size are reminiscent of the local fishermen's huts. It has neither terraces nor balconies — the beach is swept by strong winds — but smooth walls of wood and a steeply pitched roof, all of which are painted black in order to absorb and retain the heat of the sun. This impression of a black hut is deceptive (some of the external details show that it is really not a fisherman's hut). A complete change of scene awaits the person who steps inside.

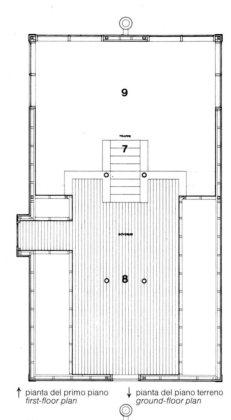

• All'interno c'è un grande e solenne biancore, c'è una simmetria sottolineata; l'impressione è di un vasto ambiente unico ma articolato nelle forme e nello spazio con intenti "scultorei", mentre alcuni particolari riprendono in modo stilizzato alcuni elementi che fanno parte della storia dell'architettura. Vedi ad esempio la finestra "gotica" con la profonda strombatura, che si apre sul lato sud sopra la porta d'ingresso (è vista dall'interno nella terza foto e dall'esterno nella foto a piè di pagina); oppure le due colonne che concludono la scala partendo dalla balconata interna del primo piano per raggiungere il soffitto (seconda foto); oppure ancora (vedi la stessa foto) il classico "occhio" ovvero l'apertura tonda inscritta nel "frontone" sul lato est.

• Il lato ovest della casa (foto in alto) è costituito da una parete tutta a vetri (salvo la striscia centrale alla quale è collegato il cilindro nero della canna fumaria esterna) che risvolta parzialmente sugli altri due lati e dà quindi al soggiorno quasi l'aspetto di una veranda.

• Nelle foto a sinistra, dal basso: il lato sud con la porta d'ingresso; la finestra della camera dei genitori al primo piano; la scala. Nella pagina a lato: dall'alto della scala una prospettiva sulla parete vetrata del soggiorno, la stufa-camino e l'ampio paesaggio delle dune e del mare.

1. ingresso; 2. cucina-pranzo; 3. camere dei figli; 4. bagno; 5. soggiorno a doppia altezza; 6. stufa-camino; 7. scala; 8. camera dei genitori; 9. vuoto sul soggiorno.

↑ pianta del primo piano
first-floor plan

↓ pianta del piano terreno
ground-floor plan

• Inside there is solemn whiteness, and symmetry has been emphasized. The impression is of a single vast setting divided "sculpturally" into forms and spaces, while some stylized details hark back to elements which belong to the history of architecture. An example of this is the deeply splayed "Gothic" window on the south side above the front door (seen from inside in the third photo on the left and from outside in the bottom photo). Another example is provided by the two columns completing the staircase, starting from the first-floor parapet and going up to the ceiling (second photo), and yet another is the classic "eye" (see same photo) or round opening enclosed in the west front "pediment".

• The west side of the house (photo top left) consists of an entire wall of glass (apart from the central strip to which the cylindrical black chimney shaft is attached) which partly continues around the other two sides and gives the living-room a verandah-like appearance.

• Photos from bottom to top: the south side with the front door; the parents' bedroom window on the first floor; the staircase. Facing page: view from the top of the stairs of the living-room glass wall, the stove-fireplace, and the sweeping landscape of the sand dunes and the sea.

1.entrance; 2. kitchen-cum-dining-room; 3. children's rooms; 4. bathroom; 5. double height living-room; 6. stove-fireplace; 7. staircase; 8. parents' bedroom; 9. space over living-room.

● Nel soggiorno-veranda, mobili da veranda: due divani italiani di giunco con i cuscini ricoperti di tela bianca. In questa stanza dalla luce e dai toni così delicati l'unica cosa scura, oltre alla legna da ardere, è la stufa-camino di ferro nerissimo posta fra le due grandi vetrate così che si può contemplare il fuoco e insieme il paesaggio giallo-ocra delle dune e più in là l'azzurro del mare.

● Contro il bianco delle pareti e il chiaro legno di pino del pavimento, ben pochi mobili. Vedi, nelle foto piccole, l'arredamento spartano delle camere dei figli: due letti sovrapposti, un tavolino, la nota sedia di Arne Jacobsen per Fritz Hansen (in Italia è distribuita da Cappellini International Interiors), e nient'altro. La sedia, all'occorrenza, può unirsi a quelle disposte attorno al tavolo da pranzo ovale che è stato progettato dalla padrona di casa, Marianne Rying, anch'essa designer e architetto di interni. Le lampade invece sono tutte di Bonderup e Thorup, i progettisti della casa (alcune sono prodotte da Focus). Nella parete che divide il pranzo dal soggiorno sono inseriti i mobili di cucina, bianchi ovviamente (foto a sinistra). Ai lati della parete, due passaggi con alcuni gradini che salgono al livello del soggiorno, un po' più alto perché la costruzione segue l'andamento del terreno.

IN THE SAND DUNES OF JUTLAND

● *There are very few pieces of furniture set against the white of the walls and the light-coloured pinewood floor. Note the spartan furnishing of the children's rooms in the small photos: "two-storey" beds, a small table, Arne Jacobsen's well-known chair made for Fritz Hansen, and nothing else. When need arises, the chair can be added to the ones around the oval dining-table; this was designed by the house owner, Marianne Rying, who is also an architect and interior designer. The lamps are all by Bonderup and Thorup, the designers of the house (some are manufactured by Focus). The kitchen furniture — white, of course — is set into the dividing wall between the dining-room and the living-room (centre photo). On both sides of the wall, openings with steps lead up to the slightly higher living-room level, which follows the contours of the land.*

● *Verandah furniture in the living room - verandah: two Italian rush settees with white canvas-covered cushions. In this delicately tinted and illuminated room, the only dark object, apart from the firewood, is the pitch-black iron stove. It has been placed between the two big windows so that one can gaze at the fire while taking in at the same time the yellow ochre landscape and the blue of the sea.*

Un silos addomesticato
A SILO FOR LIVING IN

Bauhs & Dring,
architects

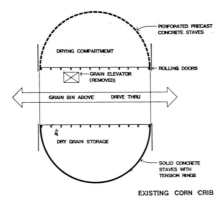

pianta dello stato precedente
previous plan of the building

Ecco un modo di abitare una casa che ha assonanze o precedenti "agricoli". Questo era un silos costruito negli anni Trenta in calcestruzzo prefabbricato nella campagna a circa 150 chilometri da Chicago: una struttura tipica della zona, ma ormai da tempo abbandonata e unica superstite in un vasto appezzamento di terreno non più coltivato. Sotto l'alto tetto — a sua volta sovrastato da un piccolo volume che oggi è un belvedere ma che un tempo ospitava i meccanismi per azionare il carrello trasportatore — c'erano due corpi a semicerchio, staccati l'uno dall'altro in modo da creare un passaggio che permetteva l'attraversamento dei mezzi meccanici (vedi la pianta). Il semicerchio a muratura piena serviva per immagazzinare i cereali, quello a muratura forata per essiccarli. Fasce d'acciaio in tensione, applicate all'esterno della struttura, ne garantivano la tenuta anche quando essa era colma dopo il raccolto. La travatura del tetto era coperta da semplici teli bituminosi. L'edificio non ha perduto il suo straordinario carattere pur dopo la ristrutturazione che l'ha reso abitabile e ne ha anche accresciuto la superficie. Le aggiunte sono state fatte con mano leggera e con un materiale — il vetro — che si lascia attraversare. Esse consistono principalmente in un bow-window, che sporge da un lato (si intravvede sulla destra nella foto alla pagina a lato) ingrandendo un poco la ex zona di attraversamento ora diventata soggiorno, e in una estensione sul lato opposto, che di tale zona ha le identiche dimensioni ed è stata pensata infatti come il suo negativo proiettato all'esterno.

●

Here we feature a kind of dwelling which has past or present "agricultural" connotations. This one was originally a silo, built in the Thirties of precast concrete, in a country area some 150 kilometres from Chicago. Structures of the sort are very common in the district, but this one had long been abandoned and was the sole survivor on a vast plot of land no longer being farmed. Beneath the roof — itself topped by a small structure which is now a belvedere, but at one time housed the workings of the grain elevator system — were two semi-circular compartments, with a gap between them which served as a passageway through the building for farm vehicles (see plan). The compartment with the solid wall was used to store grain, the one with the perforated wall for drying it. Steel tension rings on the building's exterior ensured that it would hold, even when full of grain after the harvest. The roof beams were covered with plain bituminous felt strips. The building has retained its exceptional character even after remodelling it to make it fit for living in and to increase its floor area. The additions made were discreet ones, using of glass, a material which lets light and landscape through. They consist mainly of a bay window which projects on one side (visible on the right in the photo on the opposite page), giving a little more space to the living room, which occupies the former passageway area, and an extension on the opposite side which is exactly the same size as this area, having been conceived as an identical outward projection of it.

● Il soffitto del silos, con il bellissimo sistema di travature che ricordano una carena di nave capovolta. La lastra di vetro fa da pavimento a un belvedere ed è anche una fonte di luce per la zona centrale della casa.

● *The ceiling of the silo with its beautiful system of beams, looking for all the world like the upturned keel of a boat. The glass panel is the floor of the overhead belvedere, and is also a source of light for the central part of the house.*

A SILO FOR LIVING IN

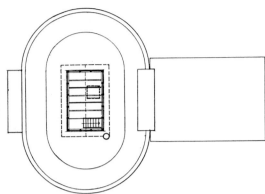

● La copertura esterna del silos è stata rifatta in tegole canadesi. Il piccolo volume superiore, tagliato da finestre continue sui quattro lati e da un lucernario, è diventato non solo un piacevolissimo belvedere ma anche una fonte di luce per la zona centrale della casa (oltre a servire, per l'effetto-camino che si crea quando le finestre sono aperte, come efficace struttura per la ventilazione della casa nei mesi caldi). Vediamo infatti, nella foto alla pagina a lato, che il belvedere ha un pavimento di vetro attraverso il quale la luce passa nella zona sottostante dove, su una pedana, è situato un letto di emergenza (la camera da letto vera e propria e il bagno sono separati da una parete di legno). In questa zona sbuca la scala a chiocciola che sale dal piano terreno, e parte la scala da nave che dà accesso al belvedere. Il soffitto ligneo è originale, ripulito da una semplice sabbiatura.

pianta della copertura e del belvedere
plan of roof and belvedere

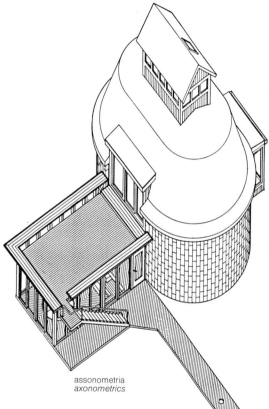

assonometria
axonometrics

● In queste foto si vede nella sua totalità, di profilo e di fronte, la nuova estensione vetrata. La sua copertura, rivestita in listoni di legno, è diventata una terrazza accessibile sia dalla zona notte del piano superiore, sia dall'esterno mediante una scaletta pure di legno.

● *These photos show the new window-walled extension, in side and front views. Its roof, covered with wooden strips, has been made into a terrace which can be reached both from the bedroom area on the upstairs floor, and from outside, up a small wooden stairway.*

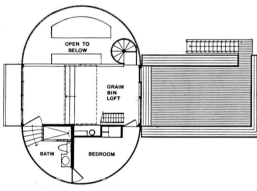

piànta del piano superiore
upper-floor plan

● *The roof of the silo has been recovered with asphalt shingles. The small structure on top of the roof, with windows on all four sides and a skylight, is not just a delightful belvedere; it is also a source of light for the central part of the house (and in addition, on account of the flue effect created when the windows are open, an effective means of ventilating the house during the hot summer months). As can be seen in the photo on the facing page, the belvedere has a glass floor which lets light through into the area below; here there is a spare bed on a platform (the bedroom proper and the bathroom are separated by a wooden wall). Here also we find the top of the spiral staircase from the ground floor, and the bottom of the ladder-type stairway leading up to the belvedere. The ceiling is original, and was simply sanded to clean it.*

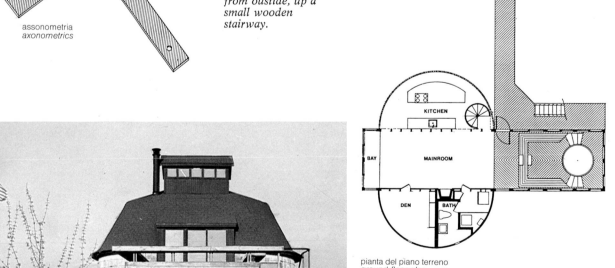

pianta del piano terreno
ground-floor plan

DESIGNED BY AN ARCHITECT SON

Steven Izenour, architect
(Venturi, Rauch & Scott Brown)

In un piccolo paese di mare del Connecticut sorge questo strano tempio tutto di legno, con tanto di colonne "doriche" e grande scalea. È la casa di vacanza che Steven Izenour ha costruito per suo padre George, famoso esperto di teatro, appassionato della classicità, esigentissimo ascoltatore di musica. George Izenour si dichiara molto felice di questa sua casa, che all'interno è stata modellata in maniera da ottenere la migliore resa acustica dell'impianto ad alta fedeltà da lui stesso progettato, insieme all'impianto delle luci, con professionale competenza.

●

In a tiny seaside resort in Connecticut stands this strange wooden temple with "Doric" columns and an imposing flight of steps sweeping up to the entrance. It is the holiday home that Steven Izenour has built for his father George, a famous expert on the theatre, who is both an ardent admirer of Classicism and a highly demanding music fan. George Izenour is apparently delighted with the house, the interior of which was modelled to optimize the acoustic performance of his hi-fi system which, together with the lighting system, he designed himself with professional ability.

Stony Creek è una minuscola località marina situata a Long Island Sound, vicino a New Haven nel Connecticut, e compresa quindi nella "Megalopoli", quel fiume di case e di uomini che da Washington a Boston scorre lungo la fascia costiera orientale degli Stati Uniti. Il suo precoce sviluppo come meta turistica e balneare è testimoniato dalla più ricca e raffinata "collezione" di case per vacanze di tutta la costa del Connecticut, costruite tra la metà dell'Ottocento e gli anni Trenta di questo secolo. Fino al 1920 essa fu inoltre un vivace centro di smistamento del granito estratto dalle numerose cave circostanti: da qui partivano le navi cariche del materiale richiestissimo da quell'immenso cantiere che era New York. La casa che Steven Izenour, da sempre uno dei più stretti collaboratori di Robert Venturi e John Rauch, ha progettato per il proprio padre sorge appunto al posto di uno dei tanti magazzini per il deposito del granito che caratterizzavano la località: tipico era il contrasto fra la leggerezza del materiale con cui essi erano costruiti — il legno — e il massic-

cio granito che contenevano e sul quale poggiavano.
Quest'immagine è stata il filo conduttore del progetto, in serrata dialettica con l'ironico manierismo che connota le realizzazioni siglate dal gruppo Venturi, qui particolarmente accentuato — ai limiti della caricatura — forse per il fatto d'essere questa una casa per le vacanze al mare, dove più forte è il desiderio di totale estraneamento dall'abituale ambiente cittadino.
Gli Izenour sono una coppia di sessantenni che ha trascorso per trent'anni le sue estati in una delle Thimble Islands, a un quarto di miglio dalla costa. Questo li ha resi particolarmente edotti sulle condizioni atmosferiche della zona, frequentemente battuta da temporali e uragani. Perciò essi volevano una casa a un solo piano e sollevata dal suolo di almeno 3,50 metri. Inoltre il soggiorno, la cucina e la sala da pranzo dovevano essere rivolti verso le visuali migliori, a est e a sud, e il garage trovarsi all'interno dell'edificio, al riparo dal vento e dagli acquazzoni. Un'altra richiesta particolare, legata all'attività e agli

interessi di George Izenour che è uno dei più noti consulenti statunitensi in campo teatrale, riguardava la stanza di soggiorno, che doveva essere molto ampia e sviluppata in altezza per ospitare al meglio il sofisticato impianto per l'ascolto della musica lirica e la collezione di incisioni del Piranesi.
Un semplice "bungalow" con il tetto a capanna è sembrato il tipo di costruzione più adatto, per dimensioni e configurazione volumetrica, a entrare in sintonia con gli edifici circostanti, che oscillano tra il revival Vittoriano e quello in stile Tudor.
Una grande finestra a forma di rosa dei venti e al tempo stesso di ruota di timone domina la facciata nord, verso la strada, ammiccando al passante. All'interno, la rigida simmetria della facciata è ribaltata: la scala d'ingresso si infila fra i due garage e sale al piano dell'abitazione sfociando in una piccola hall esattamente al centro del rettangolo della pianta. Qui giunti, il gusto della contraddizione rompe lo schema ad asse centrale e costringe a spostarsi lateralmente "doppiando" il gigantesco camino per accede-

→

re al soggiorno, rivolto con uno spettacolare fronte vetrato di una decina di metri sulla baia, la cui vista è scandita e incorniciata dal profilo delle colonne "doriche" del porticato esterno.

L'effetto più ironicamente scenografico il bungalow lo raggiunge nella vista dal mare: il porticato con le colonne "doriche", il timpano e la finestra a lunetta (o a mezza ruota di timone) poggiano su un illusorio stilobate — lo scalone che sembra nascere dall'acqua e dietro il quale sono celate le più banali attività quotidiane (garage, servizi, lavanderia, eccetera). Il legno di cedro è il materiale dominante, usato sia per la

struttura sia per l'esterno: abbandonato senza difese alle aggressioni dell'aria marina e del tempo, si stinge a poco a poco dando al tutto una patina grigio-argentea.
Roberto Melai

Stony Creek is a tiny seaside resort on Long Island Sound, near New Haven in Connecticut. In other words, it is part of the "Megalopolis" of men and houses which stretches right down from Boston to Washington. Its precocious development as a seaside tourist resort is testified by the presence of what is perhaps the most sophisticated, well-stocked "collection" of holiday homes on the entire Connec-

● Sopra: la casa vista dal mare. Qui a destra e sotto: il fronte verso la strada. Nella pagina a lato: un particolare del porticato verso la baia.
● *Above: the house as it appears from the sea. Right and below: the street front. Facing page: a detail of the portico on the bay side.*

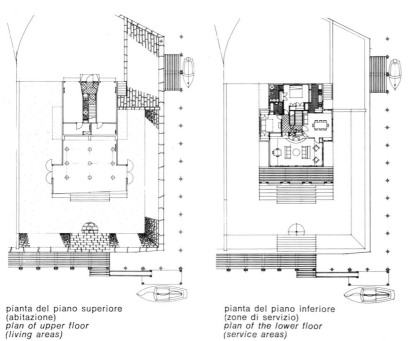

pianta del piano superiore (abitazione)
plan of upper floor (living areas)

pianta del piano inferiore (zone di servizio)
plan of the lower floor (service areas)

DESIGNED BY AN ARCHITECT SON

ticut coast, built between the middle of the nineteenth century and the Thirties. Up to 1920 it also played an active commercial rôle as a trading centre for the granite quarried in the surrounding area; cargo ships set sail for New York from its port, laden with sought-after stone destined for the Manhattan building industry.

Steven Izenour has for many years been a close collaborator of Robert Venturi and John Rauch. The house he has designed for his father stands on a site once occupied by one of the numerous granite warehouses which were a characteristic feature of the town, their light wood structures contrasting sharply with

the massiveness of the blocks of granite they housed and on which they stood.

This contrast was one of the sources of inspiration for the project, together with the ironic mannerism which distinguishes the buildings signed by the Venturi team; here it is particularly accentuated — almost a parody — perhaps because the house is a seaside holiday home where the owners wanted to make a complete break with their usual city habitat.

For thirty years the Izenours, now both in their sixties, spent their summer holidays on one of the Thimble Islands, a quarter of a mile off-shore. As a result they have acquired an expert knowledge of local weather conditions, which include frequent storms and hurricanes.

→

This was why they opted for a single-storey house raised at least 3.5 metres above ground level. The living-room, kitchen and dining-room were to face east and southwards so as to enjoy the best views, and the garage was to be situated inside the building, well sheltered from wind and cloudbursts.

Another specific request related to George Izenour's work and interests — he is one of the best-known theatrical consultants in the United States — was that the living-room should be large and have a high ceiling, to provide an appropriate setting for his collection of Piranesi etchings and, above all, an efficient auditorium for listening to opera played on his supersophisticated hi-fi equipment.

A straightforward bunga-low with a pitched roof ap-peared to be the most suit-able type of construction, in terms of both size and shape, to harmonize with the surrounding buildings, which include mock Tudor and Victorian revival ar-chitecture.

A large window shaped like a compass or ship's helm dominates the north front, attracting the atten-tion of passersby. Inside, the rigid symmetry of the façade is reversed. The en-trance stairway climbs up to living floor level, passing between the two garages and ending in a small hall situated right at the centre of the rectangular plan. At this point, with an evident taste for contradiction, the plan diverges from its cen-tral axis, with a turn round the vast fireplace leading to the living-room, which has a spectacular ten-metre scenic window overlooking the bay; the view is seg-

1800 Watts of incandescent dimmer controlled by light

A

Dimmer controlled cold cathode cove lighting

Speaker mounting structure for infinite baffle

B

sezione trasversale
(da "Architectural Record", ottobre 1985)
transverse section
(from "Architectural Record", October 1985)

C

D

Electro-mechanical video monitor lift

Electro-mechanical log lift

• In alto a sinistra: la sala da pranzo. Qui sopra: il soggiorno. Questa è la stanza più interessante, quanto meno dal punto di vista acustico. Lo scopo era quello di ottenere una riproduzione del suono assolutamente perfetta, come in una sala da concerto o in un teatro d'opera.
• Top left: the dining-room. Above: the living-room. This is the most interesting room in the house, at any rate from an acoustic point of view. Its purpose was to provide absolutely perfect sound reproduction, on a par with that offered by a concert hall or opera house

mented and framed by the silhouettes of the "Doric" columns of the external portico.

The ironically theatrical flavour of the construction makes its greatest impact when seen from the shore. The portico with its "Doric" columns, the pediment and the half-moon window (also construable as half a ship's helm) stand on an il-lusory stylobate — in real-ity the stairway, which see-mingly rises out of the wat-er but which serves to con-ceal the more mundane facilities (garage, toilet, laundry, etc.). The house is built chiefly of cedar wood, employed both for the frame and for the exterior. Exposed to the ravages of time and the sea air, the colour of the wood is pro-gressively fading, gradual-ly acquiring a silvery-grey patina. Roberto Melai

↝ Un'altra veduta del soggiorno. Nella stanza c'è una volta a botte tutta perforata e non chiusa al centro, bensì spezzata in due parti che si fronteggiano; in alto la struttura è conclusa da una seconda voltina ribassata che costituisce il punto focale dell'energia acustica, oltre che ospitare nelle sue concavità dei tubi luminosi per l'illuminazione indiretta del locale (vedi la sezione). Gli altoparlanti stanno nello spazio fra la curva della volta perforata e la falda del tetto e sono sistemati in modo da irradiare il suono su tutta la volta. Anche il camino — una semicolonna altissima e molto bombata — e il "capitello" che lo sovrasta servono a movimentare questa parete altrimenti troppo piatta per il suono. Infine, il tavolino di vetro posto al centro della stanza ha anch'esso la sua ragion d'essere di tipo acustico: la superficie di vetro fa rimbalzare una porzione dell'energia ad alta frequenza evitando che venga assorbita dal tappeto e dai mobili.

DESIGNED BY AN ARCHITECT SON

● *Another view of the living room. The room has a barrel vault perforated with holes, with a gap along the middle; in other words, it is split into two facing halves. Above the barrel vault the structure is closed by a second flattened vault constituting the focal point of the acoustic energy, as well as containing strip lights housed in a series of cavities (see sectional drawing), to provide the room with indirect illumination. The loudspeakers are situated in the space between the perforated vault and the roof, and are positioned so as to spread the sound over the whole vault. The fireplace, which takes the form of a tall, decidedly convex half-column, and the "capital" above it also create a break in the wall surface, which would otherwise be too flat for acoustic purposes. Even the low glass table in the middle of the room has an acoustic fuction: the surface of the glass bounces back part of the high frequency waves, thus preventing them from being absorbed by the carpet and furniture.*

IN A WOOD IN CENTRAL FINLAND

Un paesaggio intatto, un luogo così poco frequentato che anche i segni dei fuochi lasciati dai rari pescatori restano per molto tempo. Acqua, innumerevoli massi ricoperti di licheni, e una selva di alberi alti e sottili dai quali traspare appena la forma di una casa. Il luogo si chiama Karttula e si trova vicino a Oulu, nella Finlandia centrale. La casa non è la solita capanna di tronchi, ma un piccolo cottage molto più elaborato che ha quasi sconvolto la burocrazia locale, tanto che sono passati parecchi mesi prima che essa si convincesse a dare l'autorizzazione a costruire.

Kai Lohman, architect

foto Kai Lohman

The landscape shown here on these pages is so unspoilt and unfrequented that the traces of the fires lit by the infrequent fishermen who chance here remain for a long time. What we see here is water, innumerable lichen-covered boulders, and a forest of tall, slender trees enveloping a house whose shape can barely be made out. We are in Karttula, a place near Oulu, in central Finland. The house is not the log cabin we might expect, but a much more elaborate cottage; it upset the local authorities so much that it took several months before they would grant the planning permission.

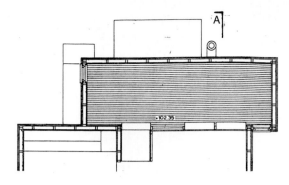

pianta
del piano superiore
*upper-floor
plan*

• In un ambiente di così straordinaria varietà e bellezza la preoccupazione del progettista è stata quella di cercare un'integrazione il più possibile "spontanea", così che vista da lontano la casa sembrasse esser parte del paesaggio naturale. Perciò prima di tutto l'ha sollevata su pilotis per rispettare interamente il terreno accidentato e per seguirne il pendio senza fare sbancamenti. Poi, benché la costruzione sia piccolissima (soltanto 34,5 metri quadrati netti, e 39,5 se si calcolano anche le pareti), ne ha molto movimentato il volume per snellirla come gli alberi snelli che la circondano e per renderla leggera, quasi sospesa nell'aria. Ma anche, come si vedrà nelle pagine seguenti, per ottenere un gioco di prospettive interne così vario da dare il senso di uno spazio ampio là dove lo spazio obiettivamente ampio non è. La spazialità — dice Lohman — non è una questione di metri quadrati.

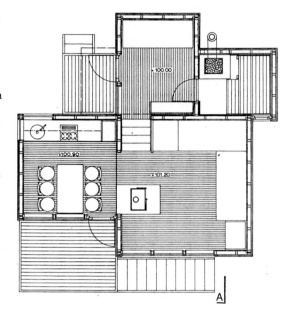

pianta
del piano inferiore
*lower-floor
plan*

• *In a setting of such extraordinary variety and beauty, the designer's chief worry was to create as "spontaneous" an integration as possible, so that from a distance the house would seem part of the natural landscape. His first move was to raise it on pilotis thereby leaving the irregular terrain completely untouched and letting it follow its sloping movement without having to excavate. Then, although the building is tiny (only 34.5 sq. metres net, 39.5 including the walls) he has endowed the volume with rich movement so as to make it as slim as the slender, surrounding trees, and to give it a feeling of lightness, almost as though it were floating in the air. But, as will be seen in these pages, he has also achieved a crossplay of interior perspective so varied that it gives a sense of spaciousness where effectively there is not a lot of space. Spaciousness, in Lohman's opinion, is not merely a question of square metres.*

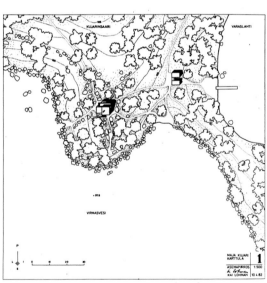

IN A WOOD IN CENTRAL FINLAND

planimetria
generale
overall plan

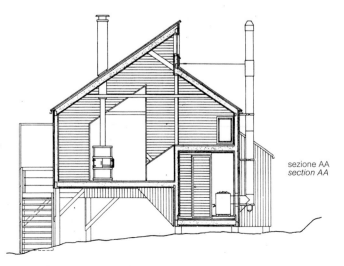

sezione AA
section AA

IN A WOOD IN CENTRAL FINLAND

● Nella foto qui a destra: la porta a vetri dell'ingresso principale e il terrazzino a ovest. Nella foto qui sotto: il tavolo da pranzo accostato a una delle vetrate a sud che dà sull'altro terrazzino. In basso: il fronte sud con le vetrate del soggiorno e del pranzo e la scala che sale al terrazzino del pranzo. Nella pagina a lato: una ripresa dal livello del soggiorno, dove è situata la stufa, verso il livello più basso del pranzo. Inutile dire che pavimento, pareti e soffitto sono di listoni di legno di pino con robuste intercapedini riempite di materiale isolante.

● La casa non vuole essere né troppo finnica né troppo "nascondiglio per rintanarsi nel bosco". È aperta e allegra e potrebbe stare anche in un bosco meno nordico. Sotto c'è posto per riparare le reti da pesca e la barca, sui due terrazzini si può sedersi o sdraiarsi quando il sole intiepidisce l'aria; il sole entra in casa attraverso due vetrate esposte a sud e attraverso una vetrata più piccola sul terrazzino dell'ingresso principale a ovest; poi ci sono altre sette finestrine sparse dappertutto a varie altezze che il sole comunque lo catturano sempre, quando c'è. D'inverno ci si viene poco, ma la stufa scalda l'intera casa senza difficoltà — la legna non manca di certo. Ci si guarda attorno e, a parte il bosco, anche all'interno l'occhio può spaziare, in verticale se non basta in orizzontale. Per semplificare, nella pagina precedente abbiamo parlato di un piano inferiore e di un piano superiore, ma in realtà i livelli sono di più, il gioco è abile e la casa non si può mai "prendere" tutta, è piena di diversivi che non fanno sentire che è piccola.

● The house is not meant to be too Finnish, nor too much of a forest hideout. It is open and cheerful and would certainly not be out of place if it were situated in a less Scandinavian wood. It has space underneath it for keeping fishing nets and a boat. One can sit or lie on the two little terraces whenever the sun warms up the air sufficiently. The sun enters the house through two south-facing large windows and through a glazed door on the terrace of the west-facing main entrance. There are a further seven small windows scattered around at various heights so as to trap what little sun there is. There is little or no sun to speak of in winter, but the stove heats the whole house without difficulty, and there is obviously no shortage of firewood. If one looks around while inside, if surveying the horizontal levels is not enough, there is also plenty of space overhead. On the previous page we spoke of a lower and an upper floor for the sake of simplicity. In reality there are more levels. The interaction is very cunning; one can never take in the whole house at a time, so full is it of distractions that prevent it from appearing small.

● Top: the glass-panelled main entrance door and the west terrace. Above: the dining-table abuts against one of the south-facing windows which look out onto the other little terrace. Right: the south-facing wall with the living-room and dining-room windows and the flight of stairs which goes up to the dining-room terrace. Facing page: a view from the living-room level looking down towards the lower dining-room level. Both the exterior and interior of the floor, walls and ceiling are of pinewood planking; the wide cavities between them are filled with insulating material.

IN A WOOD IN CENTRAL FINLAND

● In queste foto altre vedute che permettono di rendersi conto del complesso movimento dei volumi. Nonostante le sue piccolissime dimensioni, la costruzione dà l'idea di un'aggregazione di corpi minori a un corpo principale: si nota il vuoto di un terrazzo, l'improvviso impennarsi di una falda del tetto, la sporgenza di un piccolo volume che sembra aggiunto all'ultimo momento e, all'interno, le superfici variamente inclinate dei soffitti, il susseguirsi dei dislivelli, i gradini, le scalette, l'improvvisa luce proveniente dai finestrini alti. La casa, normalmente abitata da quattro persone, comprende ben otto posti letto e un soggiorno con due comodi divani messi ad angolo.

● Nella foto al centro: la zona dei letti che sono posati sul pavimento di una specie di soppalco. In realtà si tratta del piano superiore del corpo basso in cui, al piano di sotto, si trovano il locale ingresso-guardaroba e il locale della immancabile sauna (quest'ultima ha la canna fumaria interamente esterna alla casa). A una estremità il piano superiore sporge un poco e ripara in parte il terrazzino dell'ingresso. Il livello dei letti si raggiunge salendo una scala diritta a pioli che si vede bene nella foto alla pagina a lato, ripresa in un punto che mette in evidenza la maestria del progettare. La parete-cucina non è cieca ma è rischiarata da un taglio verso l'esterno che crea una fascia continua vetrata fra base e pensili; si sale un gradino e si è al livello del soggiorno (a sinistra si intravvede la stufa, a destra il blu di un divano); si scende una scaletta e si arriva al piano della porta di ingresso; si sale la scala a pioli e si sbarca sul piano dei letti; e sopra e di lato c'è ancora tanto spazio che non si avverte oppressione alcuna ma solo un piacevole senso di intimità. Il tutto in 34,5 metri quadrati.

● *Centre photo: the night zone, where the beds are laid on the floor of a kind of platform. In reality it is the upper floor of the lower part of the house. The hall-cloakroom and the ever-present sauna are situated on the floor below (the sauna chimney-stack is completely outside the house). The overhang of one end of the upper floor partly shelters the entrance terrace. The bedroom level is reached by a straight ladder, clearly shown in the photo on the facing page, taken from an angle which highlights the mastery of the design. The kitchen wall is not blind but illuminated by a continuous glazed strip between the floor and wall cupboards. One step up reaches the living-room level (the stove can be glimpsed on the left, the blue of a sofa on the right). A flight of stairs leads down to the entrance level. The ladder leads up to the bed level. Such a lot of space still remains overhead and around that there is no feeling of being closed in, but just a pleasing sense of intimacy. And all of it contained within 34.5 square metres.*

● *These photos show other views which display the complex movement of masses. In spite of its tiny size, the building gives the impression of many small buildings clustered around a main one. The eye falls on the gap of a terrace, the unexpected soaring of a pitched roof, and a small projection which looks like an afterthought. Inside, one notes the differing slopes of the ceilings, the continually varying levels, the steps, the stairs, and the unexpected shafts of light coming from small, high windows. The house normally has four inhabitants but it can sleep eight, as well as having two comfortable sofas set cornerwise in the living-room.*

Jan Kimmo Koskela

In un quartiere residenziale di Kioto, Tadao Ando ha costruito uno dei suoi tipici spazi — questa volta è un caffè-pasticceria che si chiama "Mon petit chou" — in cui le concessioni alla decorazione sono nulle, e tutto è affidato alla purezza delle linee architettoniche animate dal loro intrinseco movimento e dalla luce. Quest'ultimo obiettivo non era facile da raggiungere se si pensa che uno dei due piani del locale è sotto il livello della strada. Dall'esterno si vede dunque una bassa costruzione a pianta rettangolare coperta da una volta appena pronunciata. Sul retro di questo rettangolo lungo e stretto (metri 21x7) è innestato un corpo a quarto di cerchio, una specie di ventaglio che rompe l'uniformità ortogonale dello spazio arricchendolo di una estensione curva verso l'esterno. Il ventaglio si conclude con una vetrata a doppia altezza che dà su uno spicchio di verde in declivio, ottenuto scavando il terreno per scendere dal livello normale a quello interrato.

Doghe di legno, pareti nude, spazio inconsueto: un caffè

WOOD, BARE WALLS, AND AN UNUSUAL SHAPE FOR A CAFE'

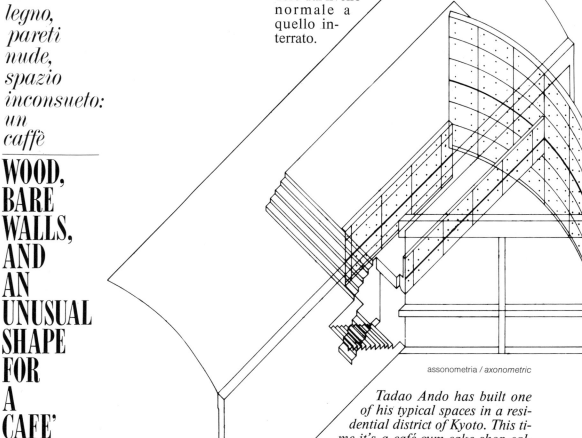

assonometria / axonometric

Tadao Ando & Associates, architects

Tadao Ando has built one of his typical spaces in a residential district of Kyoto. This time it's a café-cum-cake shop called "Mon petit chou", in which no concessions at all have been made to decoration. All emphasis has been laid on the purity of the architectural lines, animated by their implicit movement and by the light from outside. As one of the two storeys lies under street level, this latter aim was by no means a simple feat to achieve. From outside the café appears as a low-lying rectangular box (7x21 metres), topped by a slightly curved vault. To the rear, a low block one-quarter of a circle in plan is grafted onto the rectangular box. This fan shape interrupts the uniformity of the space, enhancing it by unexpectedly sweeping outwards. The fan terminates in a two-storey picture window. This overlooks an area of greenery that has been laid out to slope from the upper level down to the basement level.

● Nella pagina precedente: una parte della sala al piano interrato vista dal piano superiore. Si noti l'accostamento fra il legno chiaro del pavimento e il cemento grigio della parete curva. Sulla destra nella foto, la vetrata a doppia altezza che dà sul declivio verde. I tavoli e le sedie — acciaio cromato, vetro, legno nero — sono di Shiro Kuramata.

● Al piano terreno, subito davanti alla porta d'ingresso, si trova una zona con banchi di vendita per i dolci. Salendo un'ampia scala di legno di pochi gradini si giunge poi a una sala che ha sulla destra un lungo banco di degustazione e sulla sinistra una fila di tavolini. A lato del banco un parapetto si affaccia sui tavolini della sala a ventaglio del piano interrato e sulla vetrata verso il piccolo giardino. Nel piano interrato il resto dello spazio disponibile è occupato dal laboratorio di pasticceria e dai servizi. Nella prima foto piccola

a destra: la porta d'ingresso al locale sul lato lungo del rettangolo. Nella seconda foto piccola: il lato corto del rettangolo diviso dalla strada con una vetrata. Al di là del vetro si vedono i banchi di vendita. Foto qui sotto: la luce penetra da un taglio molto "andiano" nella copertura lungo la parete curva. Nella foto alla pagina a lato: il piano terreno con la copertura a volta e la scala di legno che sale dalla zona di vendita a quella dei tavolini.

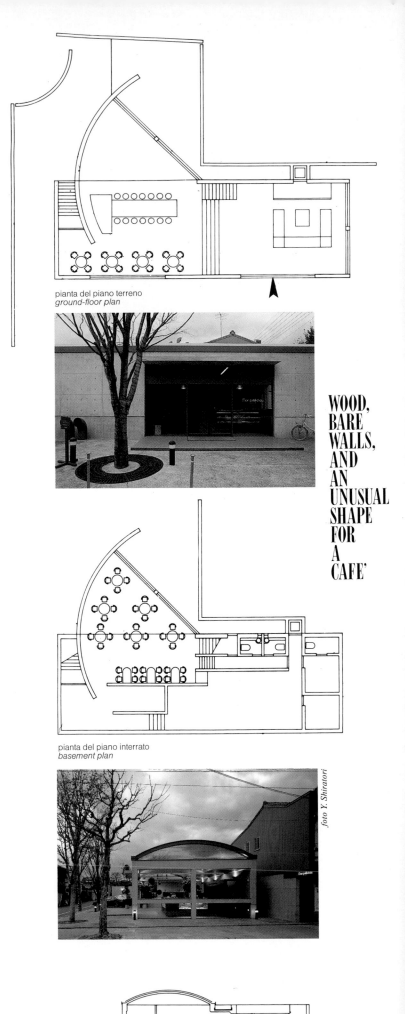

pianta del piano terreno
ground-floor plan

pianta del piano interrato
basement plan

foto Y. Shiratori

sezione
section

● *Previous page: part of the hall on the basement level, photographed from the upper floor. Note the combination of the pale wood on the floor and the grey cement of the curved wall. On the right in the photo, the two-storey window overlooking the sloping area of greenery. The tables and chairs — in chrome-plated steel, glass and black lacquered wood — were designed by Shiro Kuramata.*

● *The entrance on the ground floor leads directly into an area with counters where cakes are sold. Several extremely wide wooden steps lead up from here to a hall with a long counter on the right, and a row of small tables on the left. A parapet beside the counter looks down on the tables in the fan-shaped hall in the basement floor and the picture window looking out onto the small garden. The rest of the space on the basement floor is taken up by the pastry kitchen and rest rooms.*

The first small photo on the right shows the entrance on the long side of the rectangular box. The second one shows the short side of the rectangle, separated from the street by glazing; the cake counters can be glimpsed behind the glass. Above: light filters down from a typically Andoesque toplight in the roof. Facing page: the ground floor with the vaulted roof and the wooden steps leading up from the take-out space to the hall with the tables.

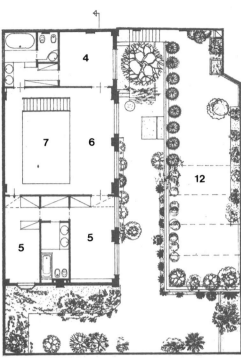

pianta del primo piano / first-floor plan

fronte / front

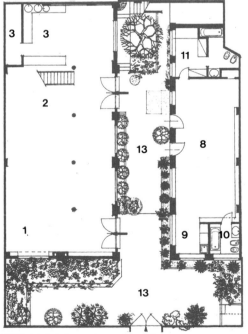

pianta del piano terreno / ground-floor plan

Nel cortile posteriore
IN A REAR COURTYARD

Giovanni Quadrio-Curzio, architect

La casa che presentiamo è stata ricavata in uno dei due cortili — quello più interno e più riparato dai rumori del traffico — di un vecchio stabile popolare milanese. C'erano una pavimentazione di cemento, un capannone rettangolare sulla sinistra e una tettoia sulla destra; il che dice chiaramente che questa zona sul retro era usata in origine da qualche laboratorio artigianale o da qualche piccola fabbrica. Ora il capannone è diventano una bella casa su due piani, il volume occupato prima dalla tettoia è un'altra abitazione, e il cortile, ripavimentato con lastre di pietra, è ricco di piante e parzialmente coperto da un grande glicine che proviene dall'edificio vicino: l'insieme sembra una casa di campagna miracolosamente trasportata nel cuore della città.

The home presented here has been created in one of the two courtyards — the one to the rear — of an old working-class building in Milan. The courtyard is set further back from the street and therefore even more sheltered from the noise of the traffic. There used to be cement flooring, a rectangular shed on the left, and roofing on the right, clearly revealing that this area was originally used by an artisan's workshop or by a small factory. Now the shed has become a handsome, two-storied house, the space taken up by the roofing has become another home, and the courtyard, covered with stone flags, is chock-a-block with plants and partially covered by a large wistaria that has encroached here from a building next door. The overall impression is of a house in the country that has been miraculously transported into the very heart of the city.

Il grande ambiente al piano terreno dell'ex capannone ha grandi vetrate sul cortile; comprende una zona studio, una zona soggiorno e sul fondo, appena schermata dalla scala, una zona pranzo-cucina (con un comodo locale dispensa retrostante). Nella parte centrale è a doppia altezza; perimetralmente corre invece il ballatoio del primo piano sul quale si affacciano le camere da letto. Le colonne metalliche inserite per rafforzare la struttura sono sottili e non impediscono quindi la percezione totale dello spazio. Il pavimento e il soffitto sono di legno di larice.

La casa è quasi una galleria d'arte, pur rimanendo molto "casa". Ai vecchi e pregevoli quadri di famiglia, prevalentemente di scuola bolognese, il padrone di casa ha accostato con molta naturalezza quadri e sculture di autori contemporanei come Matta, Ernst, Balderi, Fontana, Sutherland, Diliberto, Tateishi e altri, di cui è acuto collezionista. Pareti assai significative, dunque, mentre a terra, sul pavimento di larice, sono posati molti tappeti marocchini e kilim.

IN A REAR COURTYARD

Nelle foto: in alto, il pranzo-cucina con l'apertura verso il locale dispensa; a destra, il grande ambiente del piano terreno ripreso dalla zona pranzo e, nella foto grande, la vista opposta; in basso, una delle camere da letto al primo piano.

Top: the kitchen-dining area, with the opening leading into the pantry. Right: the large ground-floor room as seen from the dining area. Large photo: the ground-floor room seen from the other end. Bottom: one of the bedrooms on the first floor.

The large room on the ground floor of the former shed has large windows that look out onto the courtyard. It includes a study area, a living area, and a kitchen-cum-dining area (shown behind the staircase here) with a handy pantry located at the back. The central part is two stories high: the landing on the first floor runs all the way around the room, and affords access to the bedrooms. The metal columns installed to strengthen the structure are slender and do not, as a result, prevent total perception of the space. The floor and the underside of the landing are in larch wood.

The house is almost an art gallery, albeit very much a "home". The owner has added paintings and sculptures by contemporary artists such as Matta, Ernst, Balderi, Fontana, Sutherland, Diliberto, Tateishi and others — he is a keen collector of their works — to his old and valuable family pictures, yet doing this in a very natural way. The walls are richly expressive, while the larch floors are covered with Moroccan rugs and kilims.

● Il corpo più piccolo e più basso, costruito dove prima si trovava la tettoia, è un'altra piacevolissima abitazione fatta di un unico grande locale letto-soggiorno-studio con un'appendice cucina (chiusi sono soltanto lo spogliatoio e i bagni). Lo si vede nella foto grande: in fondo ci sono appunto la cucina e la porta di uno dei bagni, al centro bei mobili antichi e comodi divani, al soffitto e sul pavimento il legno di larice come nell'altra casa, poi le grandi vetrate sul cortile e, dove non ci sono vetri, le pareti tutte foderate di libri. Il tetto è diventato un terrazzo il cui verde si aggiunge a quello del cortile. Esso serve per tutte e due le abitazioni. In parte schermato dai rampicanti e dai cannicci, in parte soleggiato e rallegrato da folti cespugli di lavanda, non solo fa da sfondo alle finestre del primo piano della casa vicina, ma è anche una gradita visione per chi si affacci dalle finestre dell'edificio principale che danno su questo cortile.

IN A REAR COURTYARD

● The smaller and lower of the two buildings, built where there once used to be roofing, is another delightful home made up of one large living-cum-bedroom-cum-study with a kitchen at one end (only the bathrooms and dressing-room are separated by walls). The room is shown in the large photo: the kitchen and the door of one of the bathrooms are in the background; handsome antique furniture and comfortable couches stand in the centre: larch wood has been used for the ceiling and for the floor, as in the other house; and where there are no windows the walls have been lined with books. The roof has become a terrace, with plants complementing the greenery in the courtyard. This terrace can be enjoyed by both houses: partly screened by creepers and reed blinds, and partly sunny and enlivened by thick clumps of lavender, it provides both the first-floor windows of the other house and the windows of the main building overlooking the courtyard with a pleasant view.

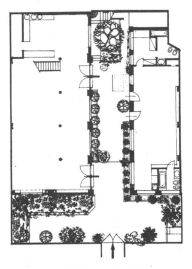

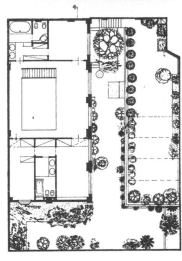

Le superfici forti e compatte
del romanico italiano, le larghe
cascine, le file ordinate delle
case a schiera dei paesi
anglosassoni: i mattoni, ovvero
la tradizione. Da sempre si
fanno cuocendo la terra, e della
terra e delle fornaci conservano
i colori, e il colore; da sempre si
accostano l'uno all'altro e l'uno
sull'altro a creare case, selciati,
chiese, campanili. Questo
legame indissolubile con la
tradizione lo troviamo anche
nei sei esempi contenuti in
questo capitolo: una piccola
casa unifamiliare a Chicago,
una grande casa costruita a
Torino come sede di uffici, un
Padiglione di Delizia sulle
colline di Parma, una villa
californiana, un vecchio
cementificio in Svizzera
ristrutturato e trasformato in
casa-officina, un appartamento
milanese di fronte a un
campanile del Trecento. Ma è,
pur con modi e intenti diversi,
una tradizione rivisitata,
trasformata, resa più attuale
che mai.

Mattone

BRICK

•

*The orderly rows of terraced
houses in English-speaking
countries; the rugged, compact
buildings of Italian
Romanesque; and the old town
houses of Holland. Whatever the
place, whatever the use — for
paving, houses, churches or
belltowers — brick is nothing if
not traditional. Earth and kilns
have provided man with colour
and warmth since time
immemorial, and the six
examples in this chapter are
proof of this indissoluble link
with tradition. A small single-
family home in Chicago; an
office building in Turin; a
"Pavilion of Delights" on a
hillside near Parma; a villa in
California; an old cement-works
in Switzerland, renovated and
covered into a home-cum-
workshop; and a Milan
apartment overlooking a
fourteenth-century campanile.
We see here how a tradition can
be transformed and updated —
even though the intentions and
methods may have been
different.*

A Chicago, le Mohawk Town Houses

THE MOHAWK TOWN HOUSES, CHICAGO

*Michael Lustig and Associates,
architects*

L'amore per il passato caratterizza buona parte dell'attuale produzione edilizia di Chicago, che ricalca fedelmente modi, figure e tecnologie quasi del tutto perdute. Le case a schiera del complesso Mohawk possono essere assunte come un esempio illuminante. Al di là della scelta di scala, al di là delle definizioni figurative che evocano gli schemi più tradizionali (i bow-window semicilindrici, i serramenti di legno bianco all'inglese, la copertura a falde ritmata dai comignoli), quello che più colpisce è la lavorazione del mattone, usato in chiave pittorico a segnare cornici, lesene e spigoli, a concitare una superficie che già il disegno dei volumi e il rapporto fra

i pieni e i vuoti rendono ricca e suggestiva: lavorazioni così non se ne vedevano da decenni. Le quattordici case a schiera, ultimate nel 1987, si sviluppano su quattro piani. Ognuna misura circa 300 metri quadrati ed è costata un po' meno di 500 milioni di lire. Neanche poi tanto.

●

A love for things part characterizes most of Chicago's recent buildings, which faithfully reflect styles, designs and technologies that had almost completely disappeared. The Mohawk Town Houses complex provides a particularly enlightening example of this. Above and beyond the choice of scale, and above and beyond the figurative elements evoking the most traditional features (bow-windows, white-painted wooden window-frames, and steeply pitched roofs with regularly spaced-out chimney stacks), the most striking characteristic of these houses is the almost pictorial use made of brick. It highlights surfaces already enriched by the arrangement of the volumes and by the relationship between constructed and empty space: brickwork of the kind had not been seen for decades. The fourteen town houses, completed in 1987, stand four storeys high. Each has a floor area of around 300 square metres and costs slightly under $ 230,000. Not such a lot, all things considered.

● A sinistra: una strada di Chicago nei primi anni Trenta. In alto e nella pagina a lato: due particolari della facciata del nuovo complesso Mohawk Town Houses.
● *Left: a Chicago street in the early Thirties. Top and facing page: two details of the façade of the new Mohawk Town Houses complex.*

● In queste foto: due immagini del complesso, a doppia schiera con strada interna. A Chicago la tipologia edilizia delle case a schiera ebbe sviluppo a partire dagli ultimi decenni dell'Ottocento: piccoli edifici a filo della strada con giardino interno, e soggiorni impreziositi da aggetti semicircolari e bow-window. Materiale principale, il mattone.

● *These photos show two views of the complex; the houses stand in two rows, a road between them. In Chicago, terraced houses became the typical housing typology in the last decades of the nineteenth century: small buildings opening right onto the street, with gardens at the rear and living-rooms enhanced by bay windows and bow-windows. Brick was the prevailing material used in their construction.*

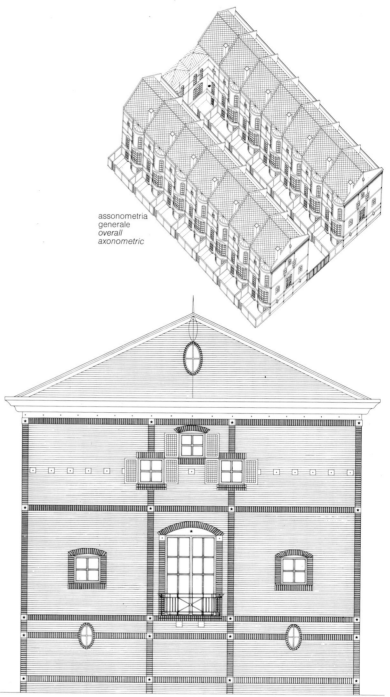

assonometria generale
overall axonometric

prospetto di un fianco
prospect of one side

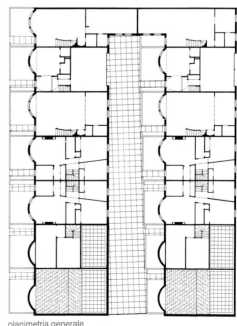

planimetria generale
overall plan

A LITTLE BRICK HOUSE

*Nagle, Hartray & Associates,
architects*

Una piccola casa unifamiliare, costruita di recente su un lotto di 8 metri di fronte a Lincoln Park, nella zona nord di Chicago. Vi abita una famiglia con due bambini. Al piano terreno sono situate la stanza dei giochi e quella degli ospiti, al primo piano la zona giorno, al secondo la zona notte. In due parole, una casa normale. Fuori del comune è invece il grande bow-window arrotondato di metallo grigio scuro, posto al centro della stretta facciata. Le porzioni vetrate sono incorniciate da formelle ornamentali, che si ripetono in terracotta e in formato ridotto sull'architrave delle porte e delle finestre e sul coronamento dell'edificio. Il tutto in perfetto stile Scuola di Chicago (quello stesso tipo di decorazione, di sapore vittoriano, usato dal primo Sullivan). Accentua il carattere della casa il mattone rosso "Chicago Common" posato con malta scura. È così raggiunta l'intenzione originaria del progettista, che era quella di impreziosire attraverso l'ornato e i materiali una piccola casa "normale".

•

A small detached house, recently built on an 8-metre lot in Lincoln Park, on Chicago's north side. A family with two children lives there. On the ground floor there's a playroom and an office/guest-room, on the first floor the living area, and on the second floor the bedrooms. In other words, an ordinary sort of house. What makes it out-of-the-ordinary is the big rounded bay in dark grey metal, right in the middle of the narrow façade. The glass sections of the windows are set into a framework of ornamental castings, an enlargement of the terracotta moulds on the lintels, cornice, and plain sills. And all in impeccable Chicago School style (this very same type of vaguely Victorian decoration was used by Louis Sullivan). The distinctive appearance of the house is further accentuated by the use of red "Chicago Common" brick, with dark mortar pointing. The architect has thus achieved his goal: using ornamentation and materials to turn an "ordinary" little house into a rather special home.

• Nella pagina a lato: la facciata. In questa pagina: il soggiorno con il caminetto ornato dalla stessa decorazione usata all'esterno.

• *Facing page: the front of the house. This page: the living-room; the fireplace has the same decorations as are used on the building's exterior.*

pianta del secondo piano
second-floor plan

pianta del primo piano
first-floor plan

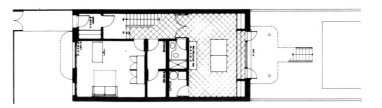
pianta del piano terreno
ground-floor plan

CASA AURORA, TURIN

*Aldo Rossi
and Gianni Braghieri
with Massimo Scheurer,
Gianmarco Ciocca,
Miguel Oks,
architects*

● Sopra: particolare del basamento della Mole Antonelliana (1862-1889). Qui a lato: il Palazzo Gualino (architetti Giuseppe Pagano e Gino Levi Montalcini, 1928-30). A destra: il fronte di Casa Aurora sul corso Giulio Cesare. Nella pagina a lato: particolare della torre con due colonne bianche che segna l'angolo formato dal nuovo edificio Casa Aurora.
● *Top: detail of the base of the Mole Antonelliana (1862-1889). Small photo: Palazzo Gualino (architects Giuseppe Pagano and Gino Levi Montalcini, 1928-30). Right: Casa Aurora, seen from Corso Giulio Cesare. Facing page: detail of the tower with two white pillars, marking the corner of the new Casa Aurora building.*

Correva l'anno 1928 quando a Torino Giuseppe Pagano si apprestava a portare a compimento, con l'aiuto di Gino Levi Montalcini, l'austero palazzo per uffici commissionatogli dall'industriale biellese Riccardo Gualino. La sobrietà industriale dell'edificio, didascalicamente scritto con una grafia austera che inaugurava il "moderno", dovette apparire ai visitatori domenicali del Valentino come "un uomo delle foreste che facesse il suo ingresso in un salotto per bene", giusta l'affettuosa memoria di Maria Mazzucchelli, allora redattrice di "Casabella".

A sessant'anni di distanza, c'è n'è abbastanza perché il cronista affascinato dalle simmetrie della storia possa invocare il clamore delle coincidenze a proposito di questa recente Casa Aurora, commissionata all'architetto milanese Aldo Rossi dal Gruppo Finanziario Tessile come sede direzionale dei propri uffici di Torino. Moderno — si sarebbe tentati di dire — versus Postmoderno, pur nel segno della continuità di una committenza preoccupata della propria immagine pubblica e interessata a testimoniare, con il valore pubblicitario dell'arte, l'attualità della propria politica di mecenatismo industriale.

Non fu, come è noto, senza un moto di snobistica polemica contro l'ambiente torinese che il finanziere e industriale tessile Gualino volle associare il nome di Pagano alla mole razionalista del suo palazzo, in fregio all'angolo tra corso Vittorio Emanuele e via della Rocca. Così come non è senza consapevolezza del ruolo promotore dell'impresa che Marco Rivetti — il giovane capitano di un pool industriale già segnalatosi in questi anni per iniziative e promozioni artistiche di grande successo — ha voluto affidare ad Aldo Rossi la stesura dei nuovi uffici del gruppo attorno al più periferico angolo tra corso Emilia e corso Giulio Cesare. Anzi ne deve essere stato talmente convinto da riuscire a non confondere l'occasione dell'arte con quella della sua possibile funzione pubblicitaria: che è, appunto, la differenza tra mecenatismo e sponsorizzazione. Così, paradossalmente, è toccato al committente "dover difendere" — come ha confermato lo stesso autore — "il progetto originale, impedendo all'architetto certe concessioni al banale o al facilmente utilitario". Sono nate così, o meglio si sono potute così realizzare come l'audacia del primo momento inventivo le aveva immaginate, le tre grandi torri che scandiscono il corpo dell'edificio, definendone forse il punto di maggior impatto con il paesaggio circostante della città.

A seguire le peripezie del progetto tra gli appunti e le note disegnate, che da sole formano la compattezza di un volume, l'idea germinativa delle tre torri di mattoni si combina, nella grafia di Rossi, a frammenti "eccellenti" dell'architettura torinese e, tra tutti quanti in prima, alla sagoma inconfondibile di quella Mole Antonelliana cui, esattamente trent'anni o sono, nel 1957, il giovane Rossi dedicò pagine di commossa partecipazione critica su "Casabella-Continuità". Occasioni lontane, si dirà, remote coincidenze... Eppure, nella ruminazione costante che caratterizza il mondo progettuale di Aldo Rossi — un mondo dove nulla si crea, si potrebbe dire, e nulla si distrugge — è una traccia, questa, che merita qualche considerazione.

Che la figura di Alessandro Antonelli sia stata per Aldo Rossi molto più che un giovanile innamoramento critico lo dimostra l'insistenza con cui l'opera di lui ritorna nelle annotazioni di progetto di Casa Aurora. Addirittura Rossi immagina qui, come in una sorta di ideale ricomposizione di una Torino "analoga", che la torre d'angolo di Casa Aurora si disponga ad accogliere come un basamento d'onore lo scatto verso l'alto della guglia antonelliana, in una ipotetica ricongiunzione di architetture così distanti ma così "simpatetiche"
→

In 1928, Giuseppe Pagano, with the assistance of Gino Levi Montalcini, had almost completed the austere office block which he had been commissioned to do by the industrialist Riccardo Gualino. The industrial sobriety of the building whose severe lines tagged it as harbinger of the "modern", must have seemed to the Sunday visitors to Valentino Park like "a man from the wilds coming into a middle-class drawing-room", as Maria Mazzucchelli, the then editor of "Casabella", recorded with affection.

Sixty years later on, an observer who enjoys seeing history repeat itself would have good grounds for citing the remarkable similarity with the recently built Casa Aurora. The Gruppo Finanziario Tessile commissioned Milan architect Aldo Rossi to design this building to serve as its head offices. Modern — one would be tempted to say — versus Post-modern, although with the constancy of a commissioning body concerned about its own public image and interested in displaying the relevance of its policy of industrial patronage through the impact of art on the public.

It is no secret that there was a touch of cocking a snook at the Turin environment in financier and textile industrialist Gualino's choice of associating Pagano's name with his rationalist building ornamenting the corner of Corso Vittorio Emanuele and Via della Rocca. Likewise, it was not lack of aware-

ness of the promotional nature of the undertaking that made Marco Rivetti — a young industrial leader who has recently distinguished himself by highly successful campaigns for artistic enterprises — ask Aldo Rossi to design the group's new head offices on the more peripheral corner of Corso Emilia and Corso Giulio Cesare. Indeed he must have been so convinced that he managed not to confuse the occasion of art with its possible advertising functions. This is in fact, the difference between patronage and sponsoring. So paradoxically, it was the patron who ended up "defending" — as the designer himself confirmed — "the original design, and preventing the architect from making certain concessions towards banality or slick utilitarianism". And so the three great towers were born, with all the boldness of the first moment when they were conceived. They are spaced out along the building and form perhaps its greatest contrasting feature with the surrounding cityscape.

In tracing the ins and outs of the design from the notes and the sketches, which by themselves amount to a sizable volume, the first idea of the three brick towers gets combined, in Rossi's language, with fragments of "excellent" Turin architecture. First and foremost of them all is the unmistakable silhouette of the Mole Antonelliana. It was to it, exactly thirty years ago in 1957, that young Rossi devoted pages of moving critical assessment in "Ca-

(continued on page 152)

• Nel disegno: pianta di un piano tipo con la sistemazione a open space degli uffici. Sopra: l'angolo dell'edificio tra corso Emilia e corso Giulio Cesare, con la torre e le due colonne bianche (vedi la foto alla pagina precedente). Nella parte superiore della torre è alloggiato il teatrino. Sotto: veduta dell'edificio dal cortile. Alla pagina a lato: la Mole Antonelliana e il nuovo edificio in un disegno di Aldo Rossi.

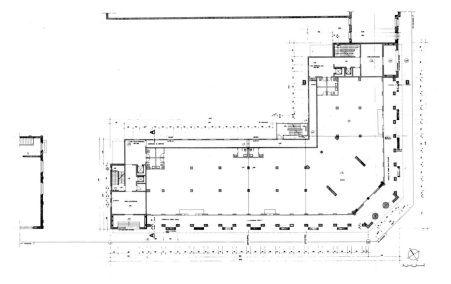

• In the drawing: a typical floor plan with the open-space office layout. Top: the building on the corner of Corso Emilia and Corso Giulio Cesare, with the tower and the two white pillars (see photo on previous page). The little theatre is housed in the upper part of the tower. Below: view of the building from the courtyard. Facing page: the Mole Antonelliana and the new building, in a drawing by Aldo Rossi.

nel tempo. Dell'ingegnere Antonelli, Rossi aveva mostrato, in quel saggio di tanti anni addietro, di apprezzare la capacità d'adesione alla cultura del proprio tempo, la volontà di riallacciarsi al filone di una tradizione costruttiva e urbanistica scelta come campo d'azione e non di contrapposizione. Una tradizione che trova conferma nella realtà cittadina e che individua la continuità come un valore cui attenersi e anzi da sottolineare. Al di là dei più o meno puntuali e minuziosi riscontri d'identità con questa o quell'architettura torinese, è dunque proprio questa evocazione di una continuità ideale che sorregge la forma e la disposizione di Casa Aurora: una continuità ideale entro la quale Rossi potrà permettersi di infilare — come tasselli di un unico ragionamento — le rimeditazioni sul Loos della Michaelerplatz di Vienna o sulla rappresentatività del neoclassicismo milanese. Si tratta, quindi, di un'interpretazione del concetto di luogo libera ed evocativa: un luogo mentale, associativo, insomma, più che un disegno di puntuali rispondenze o di geografiche simmetrie.

Il che forse può anche aiutare a spiegare, nei disegni di Rossi, l'assoluta predominanza dell'interesse per l'"esterno" dell'edificio rispetto a ogni ipotesi di configurazione dell'interno. Come se compito prioritario fosse stato il definire la sagoma di un guscio destinato a occupare il vuoto di un certo intorno urbano, lasciando solo a un secondo momento il disegno del racconto "di dentro", la cui logica — come dimostra, ad esempio, la sfasatura tra il disegno delle finestre e l'open space degli uffici corrispondenti — obbedisce a un'esigenza diversa da quella del volume. Come un monumento a un tempo immobile, Casa Aurora si limita così a "ospitare" la sua funzione di palazzo di uffici, senza lasciarsene, per così dire, influenzare più di tanto. La funzione è un dato transitorio, cui lo spessore dell'esterno offre momentaneo rifugio e protezione, allo stesso modo che le architetture dell'antichità permangono nelle città di oggi come contenitori irrimediabilmente scissi dall'occasione pratica che li aveva generati.

Per averne una conferma basterà allora penetrare nell'edificio, percorrere l'ala lunga di uno dei suoi due tratti e raggiungere il secondo piano della torre centrale. È solo qui, infatti, che si spiega l'enigma di quella sua compatta impenetrabilità esterna, di quel suo "falso" ingresso colonnato che ha relazione con la strada, ancora una volta, ma non con quanto avviene dentro. Avvolto nel bozzolo di quel continuo paramento di mattoni, il piccolo teatro aperto verso l'alto alla luce del cielo è come la scatola della memoria, il registro delle intenzioni, il diario delle istruzioni d'uso dell'intero edificio. Riassumendo nella sua conformazione e nei suoi tratti — la grande cornice marcapiano, le colonne della scena, ecc. — la fisionomia dell'esterno, il teatrino è come un guanto rivoltato: il fuori e il dentro vi si rimandano, ed entrambi rimandano all'evocazione di una scena urbana, allo stesso modo che la grande cavea del Carlo Felice di Genova riassume l'idea rossiana di quella "Genua picta" a tratti ancora riconoscibile nella trasformazione urbanistica della città.

L'interno del teatro raggiunge così l'apice della scrittura poetica rossiana, che si allarga poi o si slabbra nell'indeterminatezza spaziale di tutto quanto v'è attorno. Come se solo questi aforismi interessassero il suo racconto, confinando il resto nella prosa di una blanda routine. *Fulvio Irace*

CASÁ
AURORA
TURIN

● Nella foto piccola: gli
elementi della facciata,
dal basamento a portico
alle mansarde del tetto.
A sinistra, nella foto
grande: l'interno del
portico. A destra:
particolare delle capriate
del teatrino.
● *Small photo: the
elements of the façade,
from the portico base to
the mansard windows.
Left, large photo: inside
the portico. Right: detail
of the theatre tie beams.*

(continued from page 146)

sabella-Continuità". Remote coincidences, one could say, yet in the constant rumination which characterizes the design world of Aldo Rossi — a world where nothing is created and nothing is destroyed — this is a pointer, worthy of some consideration.

That the figure of Alessandro Antonelli was much more than a youthful infatuation for Aldo Rossi is shown by the way in which his work keeps cropping up in the Casa Aurora design sketches. Rossi even imagines here, in a sort of ideal recomposition of a "similar" Turin, that the corner tower of Casa Aurora seems shaped to provide a pedestal of honour for the soaring movement of the Antonelli spire, in a hypothetical juxtaposition of two styles, so distant but so "sympathetic" in time. In that essay many years ago Rossi displayed his appreciation of Antonelli's ability to belong to the culture of his times, his will to link up with the mainstream of a building and town-planning tradition, taken as a field of action and not of conflict. This tradition is rooted in the life of this city and it picks on constancy as a value to be respected and indeed to be emphasized.

Over and above the basically precise and detailed features in common with one Turin building or another, it is essentially the evocation of an ideal constancy which underlies the form and the arrangement of Casa Aurora. It is an ideal constancy into which Rossi dares to slip — like tesserae of the same mosaic — his variations on Loos (during his Vienna Michaelerplatz period) or on the representativeness of Milanese neoclassicism. It is a free and evocative interpretation of the concept of place, a mental, associative place, in short, more than a plan of precisely corresponding elements or geographical similarities.

This may also help to explain Rossi's absolutely overwhelming interest in his designs, in the "exterior" of the building compared to any possible interior layout. It is as if the primary purpose had been to create the shape of a shell which was to occupy the void of a particular urban setting, leaving the design of the "inside" story until later. Its logic fulfils requirements other than volume. An example of this is how unrelated the window design is to the open space of the corresponding offices. Like a monument to time standing still, Casa Aurora does no more than "house" its function as an office block, without being influenced, so to speak, to any great extent. Function is a transitory fact, for which the exterior mass provides temporary refuge and protection in the same way as the buildings of long ago still stand in the cities of today as containers, irrevocably severed from the practical purposes for which they were built. To have this confirmed, one only needs to enter the building, walk the length of one of its two wings, and go as far as the second floor of the central tower. Here the enigma of its compact external impenetrability is explained, of its "false" pillared entrance which relates to the street, but once again not to what goes on inside. Wrapped in the cocoon of that brick continuum, the small theatre opening skywards to the light is like a memory box, a record of intentions, a journal of instructions for using the whole building. Summarizing the exterior in its layout and in its features — the great stringcourse, the white pillars, etc. — the small theatre is like a glove turned inside out. The outside and the inside refer back to one other, and both refer to evoking a city setting in the same way that Carlo Felice's great Genoese auditorium represents Rossi's idea of the "Genua picta", which can still at times be glimpsed in spite of the transformation of the city.

The interior of the theatre is the acme of Rossi's poetic expression. It then spreads or seeps away into the spatial vagueness of its surroundings, as if only these aphorisms concerned his story, and the rest were restricted to the prose of a bland routine.

Fulvio Irace

● Nella foto: veduta del palcoscenico. Le due colonne ripetono il motivo della torre d'angolo, il fregio di terracotta ripete il fregio esterno sopra il portico.
● *Right: view of the stage. The two pillars repeat the corner tower motif; the terracotta frieze echoes the external one above the portico.*

CASA AURORA, TURIN

planimetria generale
general plan

Il Padiglione di Delizia

THE PAVILION OF DELIGHTS

Paolo Zermani,
architect

Intorno a Parma anche il paesaggio è morbido. A ovest della città la pianura cessa, e comincia ad alzarsi l'Appennino. Il paese di Varano sorge dove finisce la strada per le colline; oltre, c'è solo campagna coltivata. Il paese è fatto di poche case. Una di queste appartiene a una famiglia di conoscenti di Paolo Zermani, architetto di ventotto anni che lavora a Parma ma è nato e vive qui. C'era un fienile semidiroccato davanti alla casa. Che farne? Zermani l'ha trasformato in un Padiglione di Delizia. Con parole di oggi diremmo che è un posto dove si sta nelle sere d'estate a

conversare piacevolmente con gli amici. Una piccola cosa dunque, nella quale però l'architetto è riuscito a fondere con mano felice, con naturalezza e originalità, gli umori, i materiali, gli usi, la tradizione culturale e architettonica della sua terra.

●

Even the countryside around Parma is gentle. West of the city the plain comes to an end and the Apennines begin to rise. The village of Varano stands where the hill road stops, with only farmland beyond it. The village contains but few houses. One of them belongs to a family who know Paolo Zer-

mani, a twenty-eight-year-old architect who works in Parma, but who was born in the village and still lives here. There used to be a half-ruined barn in front of the house, and the question was what to do with it. Zermani has converted it into a Pavilion of Delights. In everyday terms we would describe it as a place where to sit and chat peacefully with friends on summer evenings. The job itself is a minor one, but one in which the architect has managed to cunningly blend the moods, materials, habits, and cultural and architectural traditions of his native village in a natural and original way.

THE PAVILION OF DELIGHTS

● Un tetto, muri perimetrali di mattoni, ampie aperture senza vetri affacciate sul paesaggio delle colline: ecco il padiglione. Una specie di strada partirà dalla casa, attraverserà il padiglione al piano terreno e sfocerà in una vasca d'acqua come quelle che si trovavano un tempo nelle campagne vicino ai fienili e alle case. È nel trattamento dei muri di mattoni che il fienile diventa architettura: il mattone dal colore chiaro, tipico del parmense, del ferrarese, del ravennate. Pilastri a dente di sega, contrafforti "spezzati", aperture perfettamente rifinite, aperture "incompiute", troncamenti ed escrescenze, la regolarità ripetuta del quadrato, l'esasperazione dell'angolo acuto, superfici di luce e ombrose cavità: il repertorio del costruire ricostituito in una sintesi di raro equilibrio.

● *A roof, outer brick walls, spacious unglazed openings looking out over the hilly landscape — this is the pavilion. A sort of path is to start from the house, run through the pavilion on the ground floor, and come out at a water-trough similar to the type which used always to be found near barns and houses in the country. It is the treatment of its walls that makes architecture of the barn: the light-coloured brick is typical of the Parma, Ferrara and Ravenna regions. Saw-tooth pillars, "broken" buttresses, perfectly finished openings, "incomplete" openings, interruptions and protuberances, the repeated regularity of squares, the heightened intensity of acute angles, and areas of light and shady hollows — the elements of the building repertory have been used here with a result of rare harmony.*

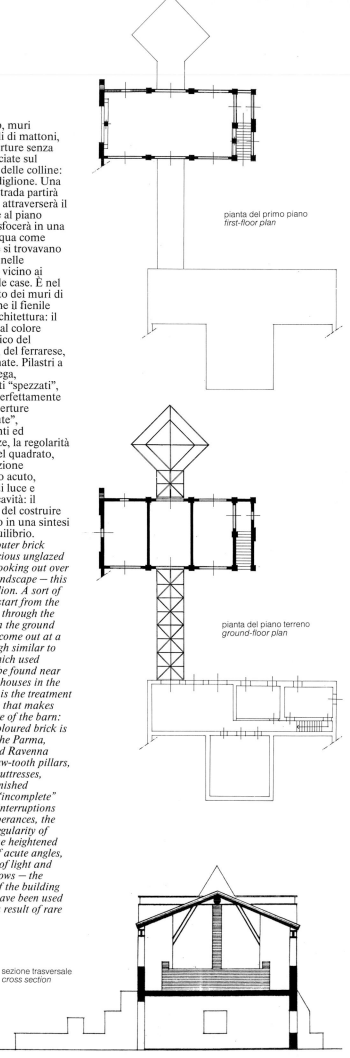

pianta del primo piano
first-floor plan

pianta del piano terreno
ground-floor plan

sezione trasversale
cross section

A HOUSE
ON A HILLOCK

*Andrew Batey
and Mark Mack,
architects*

Costruita sulla sommità di un poggio della Napa Valley, in California, la Villa Hildebrandt sottolinea con la sua pianta quadrata la centralità della sua posizione. La costruzione ha essa pure un centro — scala, bagno, camino — che parte dal piano interrato e si alza dal tetto in una sorta di belvedere o colombaia: assonanza con vecchie ville toscane o venete non fuori luogo in questa dolce valle di vigneti. Le stanze sono disposte attorno a tale nucleo, e ciascuna di esse ha poi una sua propaggine all'aperto costituita da quattro portici pure a pianta quadrata situati sugli spigoli del quadrato maggiore. Solo il rettangolo della piscina, in giardino, rompe per ovvie esigenze funzionali questo concerto di quadrati.

Built on the top of a hillock in the Napa Valley (California), Villa Hildebrandt uses its squareness to emphasize its position, plumb in the middle of the site. The building itself also has a central structure. This consists of the staircase, bathroom, and chimney-stacks, starting from the basement and eventually sprouting up out of the roof like some kind of look-out tower or dovecote — reminiscent of old Tuscan or Venetian villas, and not at all out of place in this pleasant valley of vineyards. The rooms grouped around this core all have outdoor extensions consisting of four porticos, likewise square-shaped, situated at the corners of the main square. Only the rectangular swimming-pool, whose shape has been dictated by practical considerations, breaks up the symphony of squares.

**A HOUSE
ON
A HILLOCK**

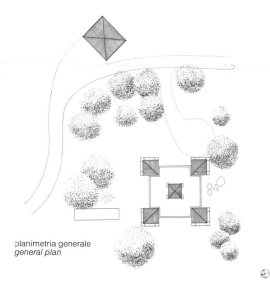

planimetria generale
general plan

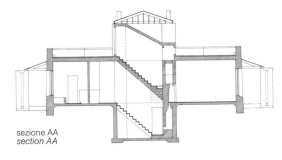

sezione AA
section AA

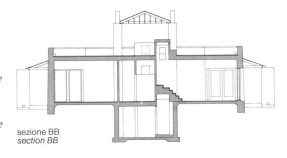

sezione BB
section BB

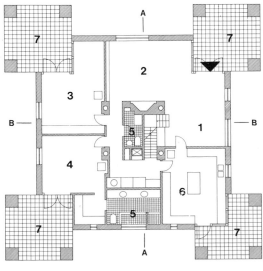

pianta
plan

● Nelle foto a sinistra: il particolare di un portico; il fronte ovest visto di scorcio, da un portico all'altro; un particolare del fronte est. Nella pagina a lato: ancora il fronte est, con il grande taglio quadrato della vetrata del soggiorno e il portico su cui si affaccia lo studio. I muri sono di adobe (mattoni seccati al sole, non cotti in fornace); la copertura del corpo principale è piatta, a terrazzo, mentre i tetti inclinati dei portici e del belvedere sono di semplice lamiera ondulata. Lontana dunque ogni idea di ostentazione o di lusso, se già lusso non fosse una villa in un luogo come questo: un bell'impianto che onora la simmetria, spazi generosi e gradevolissimi da abitare sia all'interno che all'esterno.

● *Photos on left: a detail of one of the porticos; a glimpse of the west front, from one portico to the other; and a detail of the east front. On the opposite page: again the east front, showing the large square cut formed by the window of the living-room, and the portico in front of the studio. The walls are in adobe (i.e., sun-dried, rather than kiln-baked bricks); the roof of the main part of the building is flat, forming a terrace, while the sloping roof of the porticos and of the look-out tower are in plain corrugated sheeting. A far cry, therefore, from any ostentation or luxury, if a villa in a place like this were not already luxury in itself, with its fine setting, its symmetry, and the splendidly spacious living it offers both indoors and out.*

1. ingresso e zona pranzo;
2. zona soggiorno; 3. studio;
4. camera da letto; 5. bagni;
6. cucina; 7. portici.

*1. entrance and dining-room area; 2. living-room area;
3. study; 4. bedroom;
5. bathrooms; 6. kitchen;
7. porticos.*

A HOUSE ON A HILLOCK

● La villa è situata in modo da avere visuali sull'intero giro dell'orizzonte. Le finestre e le tre grandi vetrate tagliate sui fronti sud, est e ovest portano dentro la casa sia i più minuti particolari del giardino circostante, sia il paesaggio nella sua massima estensione. Tutte le pareti sono vivificate da questi quadri di natura. Nelle due foto più grandi a sinistra e nella foto a destra: tre immagini del soggiorno-pranzo. In particolare, nella foto in basso si distingue, sulla sinistra, una parte del blocco camino-scala che è il perno spaziale della casa. Il soffitto e alcune pareti sono intonacati e dipinti di bianco; in altre pareti invece una mano di bianco è stata passata direttamente sull'adobe che rimane quindi ben visibile. Oltre al camino del soggiorno, tre stufe a legna — nello studio, in camera da letto e in cucina — forniscono un fuoco naturale: nella foto piccola se ne vede una. Le quattro canne fumarie sono disposte simmetricamente agli angoli di un quadrato (vedi la pianta) e fuoriuscendo dal belvedere sul tetto diventano un ulteriore elemento caratterizzante della composizione.

● The villa is sited in such a way as to have views on all sides. The windows and the three large glazed surfaces on the south, east and west fronts enable those inside the house to see the smallest details of the garden all around, as well vast expanses of landscape. All the walls have these real-life pictures of nature itself. The two bigger photographs on the left and the photo on the right give us three different views of the living-cum-dining-room. On the left-hand side of the lower photograph we can see part of the block containing the chimney-stacks and the stairs, which is the focal place in the house's layout. The ceiling and some of the walls have been plastered and painted white; other walls have just been painted white on the adobe, which therefore shows through. Apart from the fireplace in the living-room, three wood-burning stoves have real, visible fires (small photo). The four flues are arranged symmetrically to the corners of a square (see plan) and, emerging from the look-out tower on the roof, become another of the more marked features of the building.

A HOUSE
ON
A HILLOCK

● A sinistra nella foto piccola e nella foto grande a destra: la cucina. Nessuna ricerca di preziosismi nell'arredamento, come si è visto anche nelle foto precedenti; anzi una certa voluta casualità. Quello che conta è l'architettura, la luce, il luogo. Nelle due foto più grandi a sinistra: due immagini del padiglione sul tetto, belvedere o colombaia che dir si voglia. Volumi semplici, quasi "primitivi" al centro del terrazzo di copertura, forte contrasto di luce e d'ombra, e una visuale di 360 gradi al riparo del tetto di lamiera.

● *Small photo on the left and large photo on the right: the kitchen. There has been no attempt at recherché decor; on the contrary, a certain deliberate casualness prevails. What counts is the architecture, the light, and the place itself. The two larger photos on the left give us two pictures of the pavilion, or look-out tower, or dovecote on the roof — call it what you will. The layout has an almost primitive feel about it, as one stands in the centre of the roofed terrace, with its sharp contrast of light and shade, surveying a 360-degree panorama from beneath a corrugated-iron roof.*

Una casa-officina

A WORKSHOP-HOME

Michael Dolinski, architect

Casa, studio e officina sono riuniti sotto i tetti di questo vecchio edificio situato in una posizione idilliaca nei pressi di Balerna, un paese del Canton Ticino. Si tratta di una ristrutturazione molto particolare, o piuttosto di una interpretazione, condotta con gran rispetto e al tempo stesso con libertà, senza utilitarismi e tuttavia tenendo bene in conto la funzionalità e aggiungendo peraltro un fascino nuovo a una struttura che era nata a puri fini di lavoro: cementificio alla fine dell'Ottocento, poi fabbrica di mangimi e deposito militare. Oggi vi si producono eliche per motori da corsa offshore. Punto di partenza del progetto è stato un rilievo molto preciso, una misurazione accuratissima che ha permesso innanzi tutto di conoscere a fondo la storia della costruzione e ogni suo aspetto e particolarità.

Home, studio and workshop are combined under the roofs of this old industrial building, which stands in an idyllic setting in the vicinity of Balerna, a village in Switzerland's Canton of Ticino. The renovation is very special, more of an interpretation really, and has been executed freely but with great respect. Although function clearly has not been forgotten it is whithout utilitarianism, and new charm has been added to a building that was built purely and solely for work. Originally a cement works at the end of the nineteenth century, it then became an animal foodstuffs factory and later still a military depôt. Today, propellors for offshore racing boats are made in it. The point of departure for the project was an extremely accurate survey with precise measurements, uncovering the history of its construction down to the very last detail.

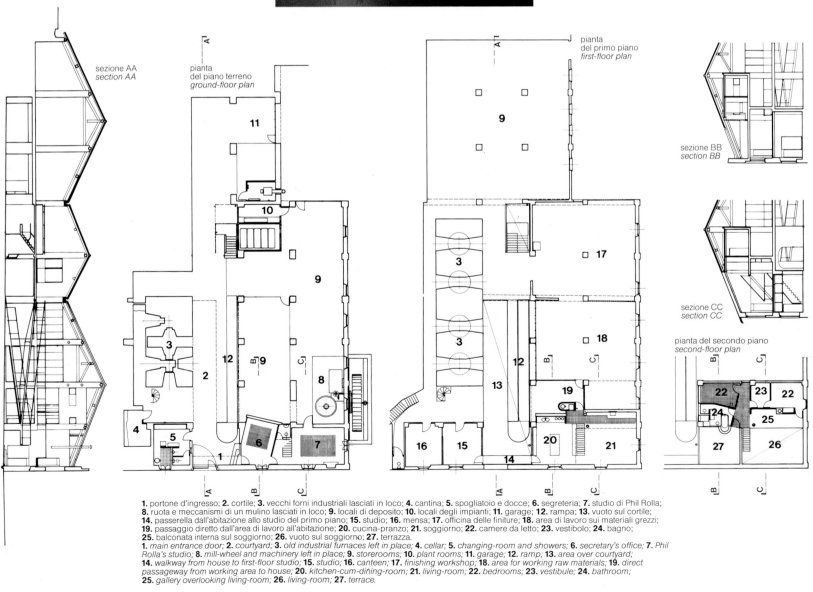

sezione AA
section AA

pianta
del piano terreno
ground-floor plan

pianta
del primo piano
first-floor plan

sezione BB
section BB

sezione CC
section CC

pianta del secondo piano
second-floor plan

1. portone d'ingresso; **2.** cortile; **3.** vecchi forni industriali lasciati in loco; **4.** cantina; **5.** spogliatoio e docce; **6.** segreteria; **7.** studio di Phil Rolla; **8.** ruota e meccanismi di un mulino lasciati in loco; **9.** locali di deposito; **10.** locali degli impianti; **11.** garage; **12.** rampa; **13.** vuoto sul cortile; **14.** passerella dall'abitazione allo studio del primo piano; **15.** studio; **16.** mensa; **17.** officina delle finiture; **18.** area di lavoro sui materiali grezzi; **19.** passaggio diretto dall'area di lavoro all'abitazione; **20.** cucina-pranzo; **21.** soggiorno; **22.** camere da letto; **23.** vestibolo; **24.** bagno; **25.** balconata interna sul soggiorno; **26.** vuoto sul soggiorno; **27.** terrazza.
1. main entrance door; 2. courtyard; 3. old industrial furnaces left in place; 4. cellar; 5. changing-room and showers; 6. secretary's office; 7. Phil Rolla's studio; 8. mill-wheel and machinery left in place; 9. storerooms; 10. plant rooms; 11. garage; 12. ramp; 13. area over courtyard; 14. walkway from house to first-floor studio; 15. studio; 16. canteen; 17. finishing workshop; 18. area for working raw materials; 19. direct passageway from working area to house; 20. kitchen-cum-dining-room; 21. living-room; 22. bedrooms; 23. vestibule; 24. bathroom; 25. gallery overlooking living-room; 26. living-room; 27. terrace.

● Il rilievo ha rivelato che la fabbrica è stata costruita in tre tempi: c'è una struttura iniziale che va dalla facciata al terzo pilastro (vedi la pianta) e che contiene a sinistra una serie di grandi forni e a destra, sul torrente, la ruota di un mulino; c'è una struttura successiva, dal terzo al quinto pilastro (vedi il tetto centrale nella sezione AA); e infine, sul fondo, si trova una terza struttura, probabilmente degli anni Trenta, che fu usata dall'esercito svizzero come fienile e stalla per gli asini. Nella foto alla pagina precedente, ripresa un po' dall'alto, si vede bene l'andamento dei tetti e dei volumi che corrisponde a questa descrizione; e si nota anche al centro, fra i tetti vecchi e i tetti rifatti, il taglio recente che è una delle caratteristiche principali di questo intervento.

● Il taglio è il segno nuovo, che produce tra-sparenze prima inesistenti e un'atmosfera un po' arcana da relitto, ma vivo e luminoso. Lo si vede dall'interno nella foto qui sotto e in quella alla pagina a lato: sulla destra c'è la zona dei forni, usata solo in piccola parte e per il resto lasciata tutta com'era, solo ripulita; sulla sinistra c'è la parte dove si lavora oggi. In mezzo c'è una zona a cielo aperto, un cortile. Nel cortile è stata costruita una rampa per il trasporto dei materiali dai depositi del piano terreno alle officine del primo piano. Il portone si apre sotto il cielo, e così pure la grande finestra che lo sovrasta, sotto il frontoncino arrotondato (foto a sinistra). E ancora la trasparenza del cielo è perseguita con il colore azzurro dato alla fila di finestrine cieche nella fascia superiore (le ultime due a destra però non sono cieche, e traspare il cielo vero).

● *The survey revealed that the factory had been built in three stages. The earliest part runs from the façade to the third pillar (see plan) and houses a series of large furnaces on the left, with a mill-wheel over the stream on the right. The second part runs from the third to the fifth pillar (see the central roof in section AA). Finally, at the back, there is a third structure, dating probably from the Thirties, which used to be used by the Swiss army as a barn and stable for donkeys. Taken from a slight height, the photo on the previous page clearly shows the roofs and premises which have just been described. The cut recently made — one of the main features of this project — can be clearly seen in the centre among the old and renovated roofs.*

● *The cut in the roof has given a new look, creating a shaft of light where none existed before and bestowing a rather mysterious air, with something lively and luminous about it. The photos above and on the facing page show it from inside the building. The furnace area is on the right. Only a small part of it is used; the rest has been left unchanged and purely cleaned up. The present-day work area is on the left. The centre is a courtyard, open to the sky. A ramp was built in the courtyard to move materials from the ground-floor storerooms to the workshops on the first floor. The main door opens into the courtyard, as does the large window above it, under the small, semicircular pediment (photos on left). The sky shining through is echoed by the sky-blue colour of the row of small blind windows in the upper strip (note that the last two on the right are not blind, however, and that the real sky can be seen through them).*

● Per raggiungere il primo piano si può usare la rampa (foto a destra), oppure una scala esterna che parte dal cortile e arriva alla prima officina, oppure una scala interna che dallo studio di Phil Rolla sale alla cucina e al soggiorno dell'abitazione e poi prosegue fino al secondo piano dove ci sono le camere da letto. Nella prima officina (foto qui sotto) le eliche uscite dalla fonderia vengono rifinite e sottoposte agli aggiustamenti finali. Nella seconda officina (foto in basso), più al riparo da occhi indiscreti, vengono costruiti i modelli ed eseguite le prime lavorazioni su materiali grezzi. Da tempo Phil Rolla cercava un luogo adatto a mettere a punto e realizzare i propri progetti in tutta segretezza e rapidamente. Questa fabbrica, così riadattata, fa perfettamente al caso suo. Le eliche di Phil Rolla sono pezzi di altissima precisione. Vengono fuse con acciai speciali in una fonderia specializzata in microfusioni sui modelli elaborati qui. Un tempo le eliche erano forgiate a mano. Con le nuove, raffinate tecnologie la loro resistenza non cambia ma si possono fare esemplari con sei-otto pale al posto delle due possibili con la lavorazione a mano.

● Nella foto alla pagina a lato, un interessante "spaccato": sotto l'ampio tetto, la cui struttura rimane totalmente in vista, il blocco casa-lavoro. Sulla destra, un muro di mattoni che scherma la segreteria (piano terreno), la cucina-pranzo (primo piano) e la terrazza dell'abitazione (secondo piano); al centro, rispettivamente, le grate dei magazzini, il passaggio fra abitazione e zona di lavoro, e le finestre del bagno e di una camera da letto; sulla sinistra, ancora i magazzini e, al primo piano, una parete traslucida dell'officina delle prime lavorazioni.

● Access to the first floor is afforded by a ramp (top), an external staircase leading from the courtyard to the first workshop, and an interior staircase going from Phil Rolla's studio up to the kitchen and the living-room of the apartment, and then continuing up to the bedrooms on the second floor (see plan). In the first workshop (photo above), the propellors which have come out of the foundry are finished off and final adjustments are made. The second one (photo right) is more sheltered from prying eyes, and here the models are built and the raw materials undergo the first processing. Phil Rolla had been looking for a long time for a suitable place to set up and carry out his projects rapidly and in absolute secrecy. This redesigned factory fits the bill perfectly. Phil Rolla's propellors are extremely high-precision pieces. They are cast in special steel in a specialized, precision-casting foundry from models developed here. The propellors used to be hand-forged. Their resistance has not changed with the new sophisticated techniques, but models with six to eight blades can be made instead of the two that were possible when using hand techniques.

● The photo on the facing page gives an interesting shot of the work-dwelling block beneath the sprawling roof, the structure of which is entirely visible. The brick wall on the right screens the secretary's office (ground floor), the kitchen-cum-dining-room (first floor) and the apartment terrace (second floor). In the centre, respectively, the grilles of the storerooms, the passageway between the apartment and the working area, and the windows of the bathroom and one bedroom. On the left, the storehouses again and, on the first floor, the translucent wall of the workshop where the first production stage is carried out.

• Foto a piè di pagina: lo studio personale di Phil Rolla al piano terreno con la scala interna, rivestita di piastrelle di grès grigio come il pavimento, che sale all'abitazione. Foto a destra e qui sotto: la passerella che corre sopra il cortile all'altezza del finestrone di facciata e collega la cucina-pranzo dell'abitazione con un locale studio e un locale mensa. Foto piccola al centro e foto alla pagina a lato: questa è la zona giorno dell'abitazione, un ambiente chiaro e lineare pavimentato di listoni di pino e diviso in due parti dalla scala pure di pino, con corrimano di tubo verniciato di bianco, che porta al piano delle camere da letto. Nella parte cucina una parete è occupata da una stufa e da una scaffalatura bianca, un'altra dal banco di lavoro; questo è fatto con mobili di lamiera smaltata di bianco della ditta svizzera Tiba sovrastati da uno spesso piano di granito verde scuro che continua in un'alta fascia sulla parete. Il tavolo rettangolare di legno chiaro è stato costruito su disegno ed è circondato da sedie dipinte d'azzurro. Le due lampade metalliche sopra il tavolo sono delle Zeiss non più in produzione.

• Right: Phil Rolla's private studio on the ground floor, showing the internal staircase leading up to the apartment. It is faced with grey-coloured grès tiling, like the floor. Above and top: two views of the catwalk running above the courtyard at the level of the big front window, connecting the kitchen-cum-dining-room of the apartment to a studio room and a staff canteen. Small centre photo and photo on the facing page: this is the day area of the house. It is a bright, linear environment, flowered with pine planking and divided in two parts by the pine staircase with its tubular, white-painted hand-rail, which leads up to the bedroom floor. In the kitchen area, one wall is taken up by a stove and white shelving, and another by a work bench produced by the Swiss firm Tiba. It is made of white-enamelled steel units with a thick slab of dark green granite on top which continues up the wall as high splashback. The rectangular, light-coloured wooden table, surrounded by blue-painted chairs, was custom made. The two metal lamps above the table are from Zeiss, but no longer in production.

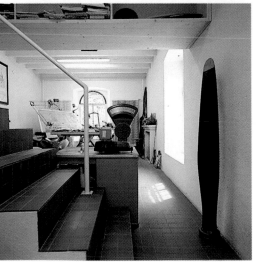

● A destra: una delle due camere da letto, piccola, semplicissima. Foto qui sotto e foto piccola in basso: un particolare del camino del soggiorno e un'immagine più generale della zona giorno. Mentre la parte cucina ha un soffitto di altezza normale, l'area conversazione è quasi completamente a doppia altezza e su di essa si affaccia il pianerottolo delle camere da letto. In prossimità del camino, che sta sotto il pianerottolo-balconata, il pavimento di pino si interrompe per far posto a una fascia piastrellata di grès grigio. Presso la scala c'è un pilastro rotondo, l'unico in tutta la casa, che arriva fino al tetto e ricorda il punto d'intersezione di due muri demoliti. Pochissimi i mobili: un divano "Chester" di Poltrona Frau e una

chaise-longue di Le Corbusier (Cassina).
● Qui sotto e nella pagina a lato: il bagno, anch'esso attrezzato in un modo che esce dai canoni correnti. Di forma irregolare (in favore della vicina camera da letto), prende luce da una parete di vetrocemento che dà sulla terrazza. È tutto rivestito di piastrelle bianche fino al soffitto e ha una vasca di ghisa vecchio stile, profonda e lunga (in Svizzera viene ora nuovamente prodotta), con una estremità incassata in una nicchia semicilindrica; la doccia sopra la vasca è del tipo che si usa nei ristoranti. C'è poi, a sé stante, un vano doccia tutto piastrellato accessibile dalla destra dei due lavandini da lavanderia accostati che servono come lavabo.

● Top: one of the two bedrooms, small and very simple. Photos above and on the right: detail of the living-room fireplace, and a more general view of the day area. While the kitchen area ceiling is normal height, almost all the conversation area is double height and the bedroom floor landing overlooks it. A strip of grey-coloured grès tiling takes the place of the pine flooring around the fireplace. The round pillar near the staircase is the only one in the whole house which goes right up to the roof, and it marks the intersecting point of two walls that were demolished. There is very little furniture: a "Chester" couch by Poltrona Frau, and a Le Corbusier chaise-longue (Cassina).
● Above and on opposite page: the bathroom, also fitted out unusually by current standards. Irregular in shape (thus favouring the adjoining bedroom), it gets light from a glass brick wall overlooking the terrace. It is entirely tiled in white right up to the ceiling, and has a long, deep, old-fashioned, cast-iron bath (once more in production in Switzerland), which has one end set into a semi-cylindrical niche. The shower above the bath is the type used in restaurants. There is also a separate, completely tiled, shower cubicle on the right of two laundry sinks, that have been placed side by side and serve as wash-basins.

● Molti ma non moltissimi sono stati i lavori di ristrutturazione, poiché si è scelto di far convivere, senza inutili (e costose) demolizioni, ciò che serve oggi con ciò che serviva ieri e che oggi acquista un altro senso, non meno importante: il senso di un vissuto, di una totalità, di presenze rispettate che danno spessore e qualche incanto alle presenze di oggi. Nella foto piccola a destra: la facciata si staglia di scorcio, con il suo caratteristico profilo, contro la vegetazione circostante. Nella foto a pié di pagina: la terrazza ben protetta e riparata, ottenuta con un taglio nel tetto; qui si vedono dall'interno le due finestrine che occhieggiano nella fascia superiore della facciata. A sinistra, al centro: la balconata interna del secondo piano con l'uscita sulla terrazza.

● Qui sotto e nella pagina a lato: il gran tetto in uno dei suoi punti più significativi. Si vede il taglio che sovrasta la terrazza e l'inizio dell'altro taglio, ben più lungo e profondo, che rinnova l'edificio con il cortile-"spina" e gli dà nuove prospettive attraverso il gioco felice delle trasparenze.

● Although much conversion work was done, not as much was done as one might imagine, since it was decided to make what was useful in the past cohabit with what is useful today. This has meant avoiding useless — and costly — demolition work, and giving the older parts another, and no less important, meaning. The meaning of something that has lived, of a whole, and of presences that have been respected, giving substance and a measure of charm to the modern-day presences. Top photo: the characteristic outline of the façade set off against the surrounding vegetation. Photo on left: the well-protected and sheltered terrace that has been gained by removing a piece of the roof. Here we see from the inside the two small windows which peep out of the upper strip of the façade. Left, centre: the internal, second-floor gallery with, at one end, the door onto the terrace.

● Above and on facing page: the great roof at one of its most significant points. The piece removed above the terrace can be seen as well as the start of the other cut, a good deal longer and deeper, which has reinvigorated the building like a "backbone", creating fresh vistas through the happy interplay of new perspectives.

Mattoni a vista, ferro verniciato di grigio, legno di rovere con intarsi di acero, specchi. Ecco i materiali intervenuti nella ristrutturazione di questo attico-belvedere milanese che si trova ad avere proprio davanti alle finestre il bel campanile trecentesco in cotto della chiesa di San Marco. Ma dell'attico o della mansarda con le tipiche pendenze dei soffitti non ha nulla, le pendenze sono poche e quasi inavvertibili: sembra piuttosto una casa su due piani completa di terrazzo a pergola e di loggia e costruita, anziché al livello del terreno, sulla cima di un edificio per catturare dall'alto tutte le luci e tutti gli stimoli dell'ambiente circostante. E questi stimoli sono entrati anche nel progetto che obbedisce a una visione mediterranea della casa, una visione cioè che non fa differenze fra dentro e fuori e tratta l'interno con elementi architettonici e intenti progettuali pari all'esterno, con strutture e materiali omogenei e continui rimandi di forme e prospettive. Gli archetti di cotto della loggia superiore, per esempio, non sembrano nascere spontaneamente da una contemplazione, quasi da una comunicazione con l'antico campanile?
•

Vittorio Garatti, architect

Bare bricks, grey-painted iron, oak inlaid with maple, and mirrors. All of them materials featured in this remodelled Milan penthouse-belvedere, which looks straight out onto the handsome fourteenth-century brick bell-tower of St. Mark's Church. It has none of the typical sloping roofs and ceilings of the mansard about it; the few sloping ceilings that it does have are almost unnoticeable. It looks more like a two-storey house complete with a pergola-covered terrace and loggia, but instead of being at ground level it sits perched on top of a building, thereby capturing all the light and stimuli of its high-set surroundings. These stimuli were an intrinsic part of the design, which adopts a Mediterranean vision of the home: no difference is made between interior and exterior. The interior has been treated with the same architectural elements and intentions as the exterior, similar structures and materials have been used, and there is a constant interplay of shapes and perspectives. One example — the small brick arches of the upper loggia look as if they were the natural result of contemplating the venerable bell-tower and communicating with it.

• Nella foto in questa pagina: la passerella di ferro si staglia contro il muro di mattoni e crea un aereo percorso verso le finestre ad arco della "loggia". Nella pagina a lato: questa ripresa dal terrazzo mostra i due livelli della casa e gli archetti incorniciati di cotto del corpo superiore. Nel disegno, ancora i due livelli: il terrazzo-pergola e il corpo superiore sporgente dal tetto.

• *Left: the iron walkway juts out from the brick wall, creating an airy means of communicating with the arched windows of the "loggia". Facing page: this photo taken from the terrace shows the two levels of the penthouse and the terracotta-framed arches of the upper floor. Sketch below: the two levels, with the pergola-covered terrace and the upper level projecting from the roof.*

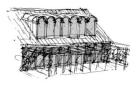

Mattoni a vista, metallo grigio, ardimentose passerelle: un attico

GREY-PAINTED DAREDEVIL BRICKWORK, METAL, AND CATWALKS FOR A PENTHOUSE

● Nella foto qui sotto: una vista dal piano superiore verso il soggiorno con la libreria a doppia altezza. Le travi sono di ferro verniciato di grigio come i telai delle finestre e la passerella. L'immagine delle finestre ad arco è moltiplicata dallo specchio che riveste la parete triangolare sopra la libreria, oltre la trave. Nella pagina a lato, una visione frontale ripresa da una sorta di scrittoio-belvedere al piano superiore: in basso si vedono le finestre del soggiorno sul terrazzo, a sinistra alcune finestre interne verso una camera da letto, in alto tre delle voltine a botte di cemento armato che coprono il corpo superiore, di fronte le tre corrispondenti finestre ad arco (la quarta sulla destra non è reale ma riflessa dalla parete triangolare di specchio) con, al centro, il campanile di San Marco. Un insieme multiforme di prospettive interne ed esterne, di vicendevoli riflessi.

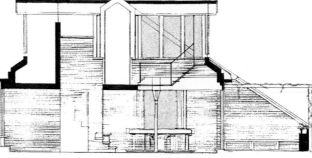

in viola le pareti a specchio, in azzurro i vetri delle finestre
mirror-faced walls shown in mauve, windows shown in pale blue

sezione BB
section BB

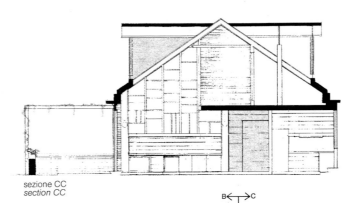

sezione CC
section CC

pianta del piano superiore
upper-floor plan

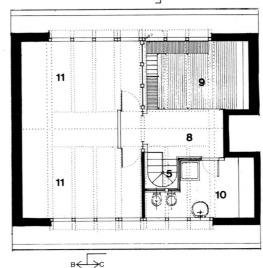

BRICKWORK, GREY-PAINTED METAL, AND DAREDEVIL CATWALKS FOR A PENTHOUSE

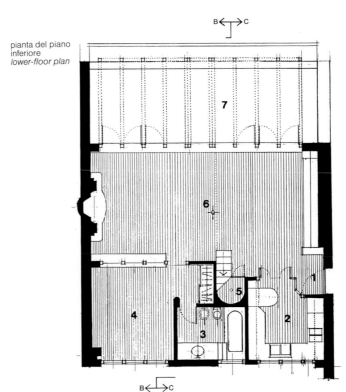

pianta del piano inferiore
lower-floor plan

1. ingresso; **2.** cucina; **3.** bagno; **4.** ospiti-studio; **5.** scala; **6.** soggiorno-pranzo; **7.** terrazzo; **8.** pianerottolo; **9.** vuoto sul soggiorno con passerella belvedere; **10.** bagno; **11.** zona letti.
1. hall; **2.** kitchen; **3.** bathroom; **4.** guestroom-study; **5.** staircase; **6.** living-cum dining-room; **7.** terrace; **8.** landing; **9.** space over living-room with belvedere walkway; **10.** bathroom; **11.** sleeping area.

● *Above: a view of the living-room from the upper floor, showing the high bookcase that stretches up from the lower floor to the top of the upper floor. The beams are in grey-painted iron, as are the window frames and the walkway. The arched windows are reflected in the mirror cladding the triangular wall over the bookcase. Facing page: a view taken from a writing-desk — a sort of observation point — on the upper floor. The living-room windows looking out on the terrace can be seen below; the internal windows on the left look into a bedroom; overhead, three of the concrete barrel vaults covering the upper floor; and in the centre the three corresponding arched windows (the fourth one on the right is not real at all, but is reflected in the triangular mirrored wall). The bell-tower of St. Mark's can be seen through the central window. A multiform assembly of interior and exterior perspectives and alternating reflections.*

BRICKWORK, GREY-PAINTED METAL, AND DAREDEVIL CATWALKS FOR A PENTHOUSE

● Il grande soggiorno rettangolare è parzialmente a doppia altezza per cui riceve luce anche dall'alto, cioè dalle finestre ad arco viste alle pagine precedenti, oltre che dall'intera parete vetrata che dà sul terrazzo. Altra luce arriva dalla parte opposta, dove una serie di finestre interne guarda verso una camera-studio affacciata sull'altro lato dell'edificio. Ma il gioco delle trasparenze e dei riflessi continua perché anche la parete sopra il camino sembra "sfondata" da una finestra, in realtà un grande specchio che rimanda l'immagine della libreria. La colonna centrale di ferro (che sostituisce un vecchio pilastro di muratura eliminando completamente la fastidiosa sensazione di ingombro), le finestre interne, le pareti di mattoni a vista arrotondati agli angoli, le modanature da portale ai lati dello specchio del camino esprimono con efficacia l'intento di trattare l'interno come un esterno. I mattoni e gli elementi speciali di cotto usati per gli angoli e le modanature sono della fornace San Marco di Venezia, gli elementi usati per i gradini e i davanzali interni sono del Cotto Ferrone. Quanto agli arredi, si riconoscono il divano e la chaise-longue di Le Corbusier (Cassina), mentre le due poltrone degli anni Trenta, il tavolino nero, l'insolito mobile a forma di cerchio e altri oggetti dello stesso periodo sono stati comprati a Milano da Roberta e Basta. Le lampade sono prodotte oggi da Tecnolumen su disegni di Josef Hoffmann degli anni Dieci-Venti.

● *The large rectangular living-room is partially two floors high, so it also gets light from the arched windows above, as well as from the entirely glazed wall looking out onto the terrace. More light comes from the opposite side, where internal windows look into a bedroom-cum-study on the other side of the building. The play of transparencies and reflections continues even further, because the wall over the fireplace seems to be cut by a window, in reality a large mirror reflecting the bookcase. The central iron column (replacing an old pillar and completely eliminating the tiresome sensation of cluttered space), the internal windows, the unfaced brick walls with their bevelled corners, and the mouldings on either side of the fireplace mirror, all effectively reflect the intention of treating the interior as an exterior. The bricks and special terracotta pieces used for the corners and mouldings were made by the San Marco kilns of Venice; the elements used for steps and inner window-sills were made by Cotto Ferrone. The Le Corbusier couch and chaise-longue are from Cassina, while the two 1930s armchairs, the small black table, the unusual collar-shaped piece, and other items of the same period were bought in Milan at Roberta e Basta. The lamps are from Tecnolumen, their designs executed by Josef Hoffmann in the 1910-1920s.*

● In basso: lo schizzo che mostra l'aggetto dell'ultimo piano e la terrazza adiacente al soggiorno. Per coerenza progettuale tutti i pilastri e le travi, interni ed esterni, compresi quelli della pergola, hanno identica sezione. Nella foto qui sotto: il soggiorno visto dando le spalle al camino. Sulla destra della libreria si intravvede il vano dell'ingresso con la porta pannellata di specchio a righe orizzontali smerigliate, come la porta a vetri della cucina lì accanto (foto a destra). Questa attenzione alla orizzontalità dei segni nasce da un bisogno di coerenza con l'orizzontalità del tessuto murario di mattoni e si estende alle parti in legno — libreria, porte, armadi, rivestimenti di pareti — dove nel rovere sono inseriti listelli di acero dai toni più chiari.

BRICKWORK, GREY-PAINTED METAL, AND DAREDEVIL CATWALKS FOR A PENTHOUSE

● Nella pagina a lato: un'immagine della zona a doppia altezza ripresa dalla soglia del terrazzo. La luce proviene dalle finestre della cucina e della camera-studio, ma sul pannello di specchio al centro, vicino alla scala, batte altra luce dalle vetrate del terrazzo alle spalle. In alto, la parete del bagno è tagliata da oblò che non solo assecondano la forma delle volte a botte, ma lasciano anch'essi passare la luce attraverso il corpo della casa. Come appunto si voleva. L'esile colonna con il suo capitello metallico (realizzato con gli stessi elementi-mensola che sorreggono la passerella) sta benissimo al gioco. Così pure il tavolo nero di Mackintosh in primo piano (1904, collezione "I Maestri" di Cassina) attorniato dalle ultimissime sedie "Latonda" di Mario Botta (1987, Alias).

● *Facing page: a view of the double-height area taken from the terrace door. Light comes from the kitchen windows and from the guestroom-cum-study. Even more light comes in from the terrace windows behind us, and is reflected in the mirrored panel beside the staircase. At the top, the bathroom wall is cut by portholes that not only endorse the form of the barrel vaults, but likewise — and intentionally — let light through the house. The slender column with its metal capital (made with the same brackets that support the walkway) is very much at home here, as is the black 1904 Mackintosh table in the foreground (from the "I Maestri" collection by Cassina), surrounded by the very latest "Latonda" chairs designed by Mario Botta (1987, Alias).*

● *Right: a sketch showing the jutting top floor and the terrace adjoining the living-room. All the pillars and beams, whether inside or outside and including those of the pergola, have identical sections, in order to keep the design consistent. Above: the living-room seen from the fireplace. To the right of the bookcase, a glimpse of the hall — the door here is panelled with mirroring that has frosted horizontal stripes, like the glazed door of the kitchen next to it (top photo). This attention to horizontality springs from a need to stay in keep with the horizontality of the masonry texture and extends to the wooden parts — bookcases, doors, cupboards, wallfacings — where maple listels in lighter tones are sunk into the oak.*

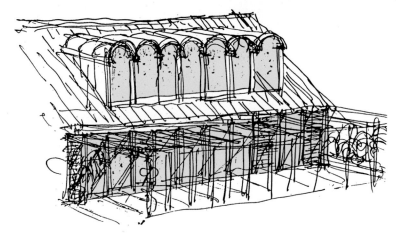

Un capitolo dedicato al colore. Un capitolo che più degli altri parla di atmosfere, sensazioni, suggestioni. Dalle delicate tonalità del rosa e dell'azzurro di un appartamento di Copenaghen alla trasformazione — operata esclusivamente con il colore — di un anonimo complesso di edilizia popolare nell'est della Francia; dagli audaci contrasti cromatici di uno showroom di New York all'esplosione di rosso e giallo, verde e blu, grigio e rosa di tre case nella campagna italiana; poi, una villa californiana che spicca con il suo volume rosa e le sue colonne azzurre nel verde di una valle da favola; un nuovo quartiere veneziano che con i suoi intonaci color indaco sembra continuare la laguna in cui si specchia; infine, la città universitaria di Caracas, dove la luce tropicale dà ai colori una fisicità inebriante e selvaggia.

Colore

COLOUR

More than any of the other chapters, this one on colour conjures up sensations, suggestions, and moods. From the delicate pink and blue of a Copenhagen apartment to the transformation — by the mere use of colour — of a characterless working-class housing complex in eastern France. From the daring colour contrasts in a New York showroom to the explosion of red and yellow, blue and green, pink and grey, in three houses in the Italian countryside. Subsequently, a Californian villa whose pink exterior and blue columns set it off against the surrounding green valley; a new district in Venice, faced in indigo-blue plaster and seeming for all the world like a continuation of the lagoon in which it is reflected; and the university complex of Caracas, whose colours are made heady and vibrant by the tropical light.

Post-danese
POST-DANISH

Niente di straordinario l'esterno di questa casa bifamiliare costruita a Copenaghen intorno al 1890 — non fosse, naturalmente, che per il giardino e i vecchi alberi che la circondano. Ma, come tante altre case di quel periodo in ogni paese d'Europa, di bello ha gli spazi interni, ampi, ariosi e rifiniti con cura: caratteristiche che nella comune edilizia residenziale di oggi sono ormai quasi introvabili. L'appartamento al primo piano è stato risistemato e arredato con l'intento evidente di obbedire a canoni "internazionali", scegliendo cose che vanno per la maggiore in questo momento. Ma al di là dello sforzo di aggiornamento che serpeggia quasi come un obbligo, permangono un nitore, una luce e un'atmosfera generale molto tipici, gentili e inconfondibilmente danesi. O post-danesi.

There is nothing particularly special about the outside of this two-family house in Copenhagen, built around 1890, apart from the garden and old trees surrounding it. What does distinguish it, like so many buildings of that period all over Europe, is the quality of the interiors. They're spacious, airy, and beautifully finished, qualities which are extremely rare in standard new housing today. The apartment on the first floor has been restyled and furnished with an evident aspiration to follow "international" canons of taste, choosing the "in" things of the moment. However, above and beyond this endeavour to be up-to-date, which runs through the whole apartment almost like a compulsion, it has conserved a feeling of brightness and a very typical, civilized, unmistakably Danish — or post-Danish — atmosphere.

● Dall'ingresso una larga passatoia azzurra è messa a segnare un percorso (vedi la pianta) che passa attraverso un luminoso salottino, scoperto come tale abbattendo un muro di un vecchio locale di servizio, e piega poi verso il bagno e la cucina. Nel salottino (foto in queste pagine) "Spaghetti Armchairs" di Alias in rosa e azzurro.

● *From the front door a wide blue runner marks the route (see plan) through a light-filled parlour (obtained by knocking down the wall of an old service room) and then bears round to the left leading towards the bathroom and kitchen. The pink and blue chairs in the parlour (photos on these pages) are Alias's "Spaghetti Armchairs".*

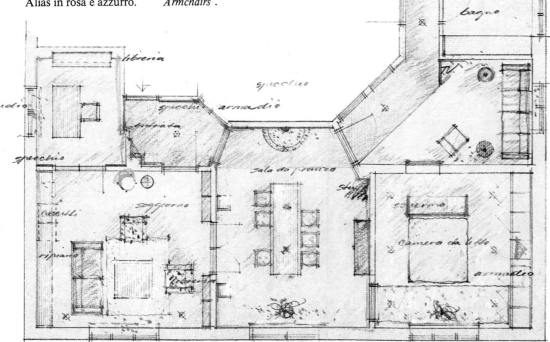

● In sala da pranzo (foto a sinistra) spicca sulle pareti azzurre il bianco della cornice della porta e quello della grande tenda tesa d'ispirazione giapponese, che filtra dolcemente la luce: tavolo di betulla e laminato bianco di Harbo Selvsten, classiche poltroncine di legno chiaro curvato e paglia di Vienna, portapiante di alluminio di Zanotta, e sul tavolo lampade blu "Crisol" di Arteluce. Il soggiorno – visibile nella foto a sinistra in basso e,

ripreso dallo studio, in quella alla pagina a lato – ha anch'esso una tenda bianca tesa; quindi un divano blu e un tavolino col piano di vetro di Harbo Selvsten, due poltrone rivestite di vivace tessuto stampato di Kvadrat su disegno di Finn Sködt (autore anche del manifesto dietro il divano), un lungo piano d'appoggio di legno bianco sotto il quale sono inseriti due contenitori su ruote di Muurame, la ben nota lampada alogena da terra di O Luce disegnata da

Joe Colombo e un'altra lampada da terra bianca diegnata da Claus Bonderup e Torsten Thorup per Royal Copenhagen. Nelle foto piccole altri due pezzi, visti da vicino, che stanno in sala da pranzo: una étagère semicircolare a due piani in tubo cromato e marmo grigio che assomiglia incredibilmente al sottsass-zanottiano "Cantone" ma non lo è, e un rassicurante, domestico, vecchio orologio a pendolo.

● The blue walls in the dining-room (top photo on left) contrast with the white of the door-frame and of the large Japanese-style blind which gives the room a soft, diffused light. The furniture: a birchwood and white laminate table from Harbo Selvsten, classic chairs in light-coloured bentwood and cane, an aluminium plant-holder from Zanotta and, on the table, dark blue "Crisol" lights from Arteluce. The living-room shown left and on the facing page

(photographed from the study in this latter case) also has a white blind. Other furnishings include a dark blue sofa, a glass-topped coffee table from Harbo Selvsten, two armchairs covered with a cheerful patterned fabric from Kvadrat designed by Finn Sködt (who also did the poster behind the sofa), a long whitewood counter with two storage units on castors from Muurame underneath, the famous O Luce halogen floor lamp designed by Joe Colombo and another

white floor lamp designed by Claus Bonderup and Torsten Thorup for Royal Copenhagen. The small photos above offer close-up views of two other items of furniture from the dining-room: a two-tiered semi-circular étagère in chrome tubing and grey marble which looks incredibly like the Sottsass-Zanotta "Cantone" but is not in fact the same, and a comfortingly domestic antique grandfather clock.

● Bagno bianchissimo e trasparente (foto qui sotto): piastrelle bianche alle pareti e al pavimento, rubinetti, piano portalavabo e cassetti sospesi bianchi, uno specchio da parete a parete sul quale sono fissate mensole di vetro trasparente, lampadine con portalampade pendenti sullo specchio, e infine una lampada a muro disegnata da Poul Henningsen per Louis Poulsen. In camera da letto (vedi le altre due foto e quella alla pagina a lato) le piccole ansie post-moderne si manifestano nel frontoncino rosa che corona la vetrina fra gli armadi. Il vecchio pavimento è stato verniciato di bianco. Dietro il letto c'è una parete di legno intensamente blu che fa da testata e insieme da schermo al letto stesso quando è aperta la porta scorrevole rosa che dà sul salottino di passaggio.

● An all-white, glass and tile bathroom (photo above): white tiles on the floor and walls, white taps, handbasin counter and wall-hung drawers, a wall-to-wall mirror with transparent glass shelves mounted on it, suspended lights in front of the mirror, and a wall light designed by Poul Henningsen for Louis Poulsen. The other two photos on this page and the one opposite show the bedroom, where a slight touch of Post-Modern neurosis is revealed by the pink pediment crowning the display cabinet between the wardrobes. The old floor was painted white. The deep blue wood wall behind the bed functions both as a headboard and for screening off the bed when the pink sliding door leading to the walk-through parlour is open.

Lo showroom Poltronova a New York

THE POLTRONOVA SHOWROOM, NEW YORK

*Lella and Massimo Vignelli
with Robert Traboscia and Yoshimi Kono,
architects*

L'International Design Center di New York è la più grande esposizione-mercato permanente di arredamento del mondo. Fra le aziende italiane presenti all'IDCNY, Poltronova (che quest'anno festeggia il suo trentennale) ha recentemente aperto uno showroom che può essere ritenuto un modo esemplare di risolvere i condizionamenti di un grande contenitore come questo. La suddivisione degli spazi in più locali comunicanti, dei quali solo alcuni sono visibili dall'esterno, ha portato a definire i percorsi interni per mezzo di strisce di acciaio che segnano come argentee passatoie il collegamento fra gli ambienti. Il colore interviene a distinguere i vari locali: il colore delle pareti, ma anche il colore della luce. E per mettere in evidenza il colore reale dei mobili, un sistema di faretti orientabili illumina con effetti teatrali a uno a uno tutti i pezzi esposti.

The International Design Center of New York is the largest permanent exhibition-market of furniture in the world. Among the Italian companies present at the IDCNY, Poltronova (which this year celebrates its thirtieth anniversary) recently opened a showroom that may be considered an exemplary solution to the restraints of a large container like that of the New York Center. The subdivision of space into various communicating rooms, only some of which are visible from the outside, entailed a clear definition of the internal corridors by means of steel stripes, which mark out like silvery gangways the links between the display areas. Colour is used here to distinguish rooms from one another: the colour of the walls, but also of the light. And a system of adjustable spots theatrically light up each of the pieces on show, bringing out their colours.

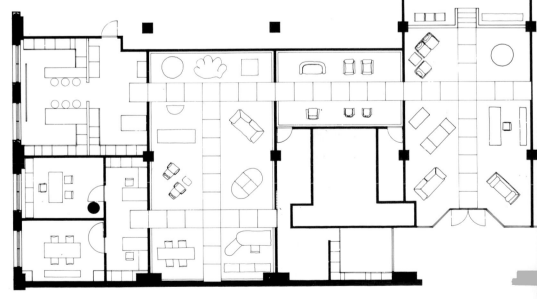

● In alto: l'esterno dell'IDCNY. Qui sopra: il salone d'ingresso e la pianta dello showroom Poltronova. Nella pagina a lato: il corridoio della zona espositiva centrale. Fra i pezzi esposti il tavolo "Regolino" di Gianfranco Fini (1985), il tavolo "La Baderola" di Angelo Mangiarotti (1985), il divano "Cuna" di De Pas, D'Urbino, Lomazzi (1984), il divano "Mitzi" di Hans Hollein (1984), il tavolo "Crazy Horse" di Ettore Sottsass (1968).

● *Top: the exterior of the IDCNY. Above: the entrance hall and plan of the Poltronova showroom. Facing page: the corridor of the central display zone. The items on view include: the "Regolino" table by Gianfranco Fini (1985), the "La Baderola" table by Angelo Mangiarotti (1985), the "Cuna" sofa by De Pas, D'Urbino, Lomazzi (1984), the "Mitzi" sofa by Hans Hollein (1984), and the "Crazy Horse" table by Ettore Sottsass (1968).*

THE POLTRONOVA SHOWROOM, NEW YORK

● Il colore è l'indiscusso protagonista delle grandi superfici su cui si estende lo showroom Poltronova. La sala gialla (in queste pagine) è quella centrale, dominata dal grande guantone "Joe" di De Pas, D'Urbino, Lomazzi (1971) che si vede al centro nella foto a destra, fra il tavolo "Badoera" di Angelo Mangiarotti (1986) e il divano "Cuna" di De Pas, D'Urbino, Lomazzi. Il sistema di illuminazione, che gioca un ruolo così importante nel progetto, è stato realizzato con la consulenza di Howard Branstone.

● *Colour is the undisputed protagonist of this spacious Poltronova showroom. The yellow room (on these pages) is the central one, dominated by "Joe", the giant boxing-glove by de Pas, D'Urbino, Lomazzi (1971) which can be seen at the centre in the photo right, between the "Badoera" table by Angelo Mangiarotti (1986) and the "Cuna" sofa by de Pas, D'Urbino, Lomazzi. The lighting system, which plays such a crucial rôle in the project, was realized with the collaboration of Howard Branstone.*

● Le tre abitazioni parallele si svolgono ciascuna su quattro piani. Al piano seminterrato hanno locali di deposito e di servizio oltre a una grande stanza adibita a taverna. Al piano terreno la scala posta all'incirca al centro dello spazio rettangolare divide il soggiorno dalla cucina-pranzo, e il trattamento con il colore ne fa il punto focale della scenografia interna. Due camini disposti simmetricamente sui lati corti e, come si è visto, sporgenti dalla facciata servono l'uno e l'altro locale. Al primo piano si trovano le camere da letto, il bagno e le zone degli armadi, mentre anche il sottotetto (non visibile nelle piante qui pubblicate) è sfruttato come zona per gli hobbies. La foto a destra e quelle nelle pagine successive mostrano l'interno della Casa A, ovvero la casa del giallo e dell'azzurro cobalto.

↑ Casa A
sezione sulla cucina (piano terreno) e sul bagno (primo piano)
House A section through kitchen (ground floor) and bathroom (first floor)

↑ Casa B
sezione sulla taverna (seminterrato), sulla scala (piano terreno) e sulle camere da letto (primo piano)
House B section through "bierkeller" (basement), stairs (ground floor), and bedrooms (first floor)

↑ Casa C
fronte
House C elevation

↓ Casa A
pianta a livello del primo piano (camere da letto e bagno)
House A first-floor-level plan (bedrooms and bathroom)

↓ Casa B
pianta a livello del piano terreno (soggiorno e cucina-pranzo)
House B ground-floor-level plan (living-room and kitchen-cum-dining-room)

↓ Casa C
pianta a livello del seminterrato (taverna e locali di servizio)
House C basement-level plan ("bierkeller" and utility rooms)

● *The three houses have four floors each. In the basement there are storerooms and utility rooms in addition to a large "bierkeller". The roughly central staircase on the ground floor separates the living-room from the kitchen-cum-dining-room and the colour treatment has made it the focal point of the interior. There are two symmetrically placed fireplaces on the short sides, one for each room; these jut out of the fronts. The bedrooms, bathroom and closet areas are on the first floor, while the attic (not shown in these plans) is used for hobbies. The photo on the right and those on the following pages show the inside of House A, i.e. the yellow and cobalt blue house.*

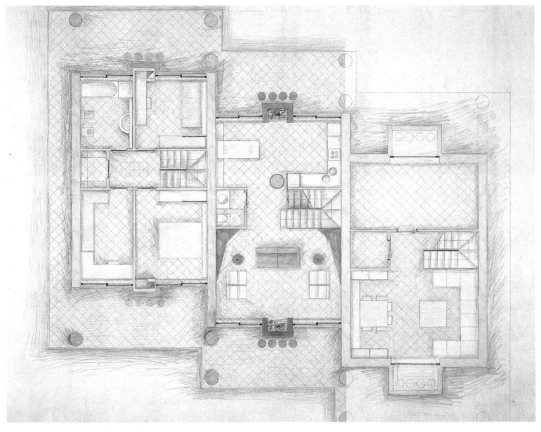

RED
AND YELLOW,
BLUE
AND GREEN,
PINK
AND GREY:
THREE
SIMILAR,
DISSIMILAR
HOUSES

RED
AND YELLOW,
BLUE
AND GREEN,
PINK
AND GREY:
THREE
SIMILAR,
DISSIMILAR
HOUSES

● Sul fondo neutro costituito dal grigio chiaro del pavimento di piastrelle, dal grigio tenue delle armadiature a tutta parete, dal bianco del soffitto e dei muri, acquistano grandissimo rilievo le fasce gialle e azzurre delle porte, del banco e dei pensili di cucina, e soprattutto le diagonali del parapetto della scala. Nelle foto a sinistra: la cucina vista dalla zona pranzo e, sotto, il vano della scala. Nella pagina a lato: ancora la dominante della scala vista dal soggiorno.

● *The yellow and blue doors, counter and kitchen wall cupboards, and the diagonals of the parapet running up the stairs — the latter especially so — are offset by the neutral grey tiled floor and floor-to-ceiling cupboards and the white walls and ceiling. Left: the kitchen seen from the dining area and, below, the stairwell. Facing page: once again the eyecatching staircase, seen from the living-room.*

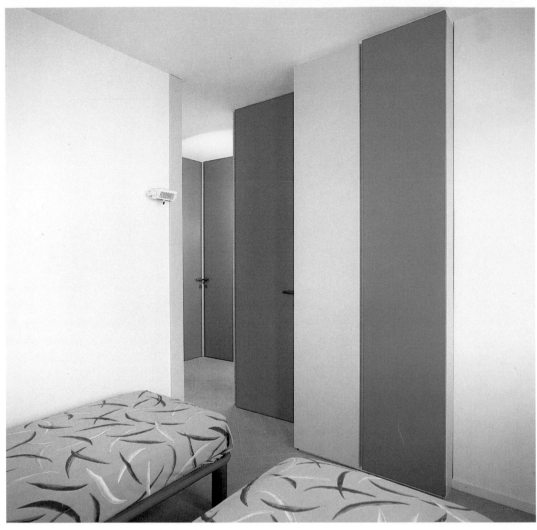

RED
AND YELLOW,
BLUE
AND GREEN,
PINK
AND GREY:
THREE
SIMILAR,
DISSIMILAR
HOUSES

● Al piano superiore l'apparato scenografico è ottenuto con i forti segni verticali delle porte e delle ante degli armadi, che creano fughe e prospettive colorate proprio come quinte di teatro. La fondamentale semplicità della pianta e degli spazi ortogonali viene così elaborata e arricchita dall'energia del colore. Nelle foto a sinistra: uno scorcio ripreso da una delle camere da letto e, sotto, il bagno dove il giallo e l'azzurro sono raddoppiati dallo specchio. Concludiamo con un raffronto. Nella foto alla pagina a lato si vedono gli stessi spazi in una diversa interpretazione cromatica. Siamo nella Casa C, avvolti in una quieta atmosfera di grigio e di rosa.

● *Upstairs the strong verticals of doors and wardrobe doors combine to form a dramatic effect of coloured rhythms and perspectives reminiscent of a stage set. The basic simplicity of the plan and the rectangular areas are developed and enriched by the energy of the colour. Left: a view from one of the bedrooms and, below, the bathroom where the yellow and blue are intensified by the mirror. We close the feature with a comparison. The facing page shows the same spaces, but with a different colour combination. This is House C, permeated by an atmosphere that is calm, pink and grey.*

A VILLA HALF-WAY UP A SLOPE

Andrew Batey and Mark Mack,
architects

Nella californiana Napa Valley, la Villa Knipschild appare a mezza costa con il suo volume rosa-arancio e le colonne azzurre nel fianco verde della collina: un parallelepipedo movimentato dal colore e da sapienti tagli dove l'ombra affonda. Più sotto, quando finisce il bosco, cominciano i vigneti di questa Napa Valley quasi perfetta, con i suoi fiumi sinuosi, i piccoli centri abitati, le cantine idilliche, il clima benigno e le ville sparse qua e là.

In California's Napa Valley, the Villa Knipschild stands out, orange-pink with light-blue columns, against the green hillside, about half-way up the slope: a parallelepiped endowed with mobility by its colours and by some intelligent cuts where the shadow is deepest. Further down, the end of the wood marks the beginning of the vineyards of this almost perfect valley, with its meandering rivers, tiny towns, idyllic wineries, benign climate, and houses dotted here and there.

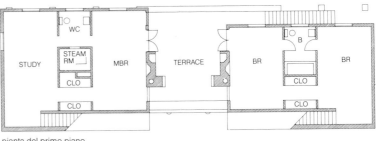

Semplice, piuttosto severa, non grandissima e tuttavia imponente, la villa è costituita da due ali allineate e legate al centro da una "cerniera" bassa, sottile e trasparente. La facciata "pubblica", verso monte (foto a sinistra), ha muri completamente ciechi che chiudono due rampe di scale simmetriche; ma al centro la vetrata della porta, fiancheggiata da due colonne azzurre, "perfora" la costruzione e avvia lo sguardo verso l'altra parte. Come si vede dalla pianta del piano terreno, infatti, in questo punto c'è solo il locale d'ingresso, oltre il quale una loggia profonda si apre sul fronte opposto e serve come soggiorno estivo. La facciata verso valle (sud) è invece tagliata da numerose finestre e porte-finestre e dalla loggia di cui si è detto, ed è arricchito da un porticato sporgente fatto di colonne e pilastri e parzialmente architravato (foto in basso e alla pagina a lato); poi una gradinata bianca e una piscina, lunga come la casa e azzurra come le colonne. Su un lato, fra i pilastri e il muro perimetrale, è inserita una scala a cielo aperto che sale al terrazzo (foto piccola).

A VILLA HALF-WAY UP A SLOPE

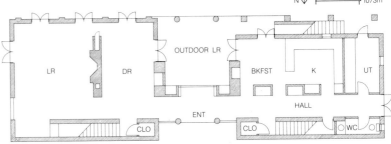

pianta del primo piano
first-floor plan

N ↓   ⊢———⊣ 10'/3m

pianta del piano terreno
ground-floor plan

Simple and somewhat austere in style, not particularly large and yet imposing, the villa consists of two wings, connected in the centre by a low, thin, transparent part. The main façade faces uphill (see top photo) and has windowless walls enclosing two symmetrical flights of steps, while, at the centre, the glass panes of the door, which is flanked by two pale blue columns, enable one, so to speak, to penetrate the edifice and see through to the other side. As can be seen from the ground-floor plan, at this point there is only the hall, beyond which a long loggia, open on the opposite side, serves as a living-room in summertime. The south façade, which looks down the valley, is, by contrast, broken up by a large number of windows and French-windows, as well as by the loggia, and is enriched by a protruding portico, consisting of columns and pilasters (see photo on the left and on opposite page). Then there's a flight of white steps and a swimming-pool; the latter runs the full width of the house and is blue, like the columns. On one side, between the pilasters and the perimeter wall, is an open flight of steps leading up to the terrace (small photo).

● Nelle prime due foto a sinistra: la cucina e l'adiacente zona breakfast che, con un locale di servizio, occupano un'ala della casa (al piano superiore ci sono le camere degli ospiti). L'altra ala è occupata dal soggiorno (foto in basso a sinistra) e dalla sala da pranzo. Questi due ambienti sono vicendevolmente schermati da una parete centrale in cui è tagliato un semplicissimo camino; i lati sono liberi per il passaggio. In quest'ala, al piano superiore, ci sono lo studio e la camera da letto dei padroni di casa. Nella foto qui sotto: la loggia che sta fra le due ali, aperta verso la piscina e il panorama della valle. La copertura della loggia, in travi di legno chiaro a vista, è uguale a quella dell'ala soggiorno-pranzo. Nella foto alla pagina a lato: l'effetto cannocchiale che si ha avvicinandosi alla vetrata d'ingresso vista più da lontano nelle pagine precedenti.

A VILLA HALF-WAY UP A SLOPE

● The first two photos on the left show the kitchen and the adjacent breakfast area; with a serving-room, these rooms take up one wing of the house (the guest-rooms are upstairs). The other wing contains the living-room (left) and the dining-room. These two rooms are screened from each other by a central wall in which is set a rudimentary fireplace; spaces are left at the sides to enable people to go from one room to the other. The upper floor of this wing contains the owner's study and bedroom. The photo above shows the loggia between the two wings of the building, which looks out on to the swimming-pool, with a view of the valley. The loggia is roofed over with naked light-coloured wooden beams, like the ones in the wing containing the living-room and dining-room. In the photograph on the opposite page, we see the telescope effect one gets as one approaches the glass doors of the entrance, which we saw from farther away on previous pages.

● A sinistra: il bianchissimo bagno fra le due camere degli ospiti; la camera da letto dei padroni di casa; il soleggiato terrazzo situato al primo piano fra le due ali e rivolto verso la valle. Infine, nella foto qui sotto e in quella alla pagina a lato, altre due immagini che riassumono la casa, la sua semplicità di linee, la qualità dei materiali, la luce, l'impianto "classico". È il corridoio quasi conventuale che al piano terreno percorre longitudinalmente tutta la costruzione, isola la scala dalle stanze disposte a schiera, e si conclude alle estremità con due porte-finestre contrapposte che allungano la già lunga prospettiva "sfondando" verso l'esterno. In particolare, nella foto qui sotto si vedono la scala sulla destra e le porte della saletta per il breakfast, della cucina e di un locale di servizio sulla sinistra.
Nella foto alla pagina a lato, la visione opposta: sulla sinistra la vetrata della porta d'ingresso (la scala, aggettante rispetto alla linea della porta, è chiusa dal muro con le appliques); sulla destra le apertura verso la loggia, il pranzo e il soggiorno. L'ultima parte del corridoio è incorporata nel soggiorno e serve come angolo del pianoforte.

A VILLA HALF-WAY UP A SLOPE

● Left: the snow-white bathroom located between the two guest-rooms; the owner's bedroom; the sunlit terrace on the first floor, between the two wings, looking valleywards. Lastly, the photo above and the one on the opposite page give us two more pictures that sum up the house in its simplicity of line, the quality of its materials, the light, and its "classic" structure. There is something almost monastery-like about the corridor that runs through the entire building on the ground floor, separates the stairs from the rows of rooms, and comes to an end at the extremities of the building with two French-windows facing each other, which have the effect of lengthening the already long perspective as they project one's vision outwards.
In the photo above we see the stairs on the right and the doors of the breakfast-room, of the kitchen, and of the serving-room on the left. The photo on the other page shows the opposite view: on the left, the glass front-door (the stairs, which jut out in relation to the line of the door, are enclosed by the wall with the appliques); and, on the right, the opening in the direction of the loggia, the dining-room, and the living-room.
The last part of the corridor is incorporated in the living-room, and serves as a corner for the piano.

IN THE VENICE LAGOON

Giancarlo De Carlo, architect
with the collaboration of Alberto Cecchetto,
Paolo Marotto, Etra Connie Occhialini,
Daniele Pini, Renato Trotta

Obbediente al mito della sua intangibile unità storica, Venezia ha fama di essere città ostile al moderno. Resistente alla trasformazione, essa è parsa sempre offrire schermo alla modernizzazione, sia che questa vestisse i togati panni della restaurazione classica di Fra Giocondo o del Palladio, sia che si presentasse invece sotto le impressionistiche riproposizioni di Frank L. Wright o di Le Corbusier. Incapace, si direbbe, di assoggettarsi ai grandi progetti di trasformazione unitaria dei suoi luoghi centrali, Venezia ha sempre opposto all'alternativa del cambiamento radicale la realtà sottotono di una laboriosa città-cantiere: la microprogettualità alla piccola scala, anche quando ha finito col tradursi nella pura falsificazione dell'ipervenezianità, si è rivelata l'esatto contrappunto all'enfasi dei grandi gesti dimostrativi, relegati volentieri nel `paradiso delle "occasioni perdute".

Vere e proprie occasioni ritrovate, invece, sono quelle che si dispongono e si accconciano nella realtà dei tanti luoghi urbani incompiuti o di quegli spazi di periferia più disponibili al cambiamento e, anzi, bisognosi di riaffermare una propria, nuova identità. Appartengono, non a caso, a questa dimensione urbanistica e costruttiva episodi come il nuovo quartiere di Gino Valle alla Giudecca, la limitrofa ristrutturazione delle Birrerie in corso d'opera sotto la direzione di Giuseppe Gambirasio, i padiglioni d'emergenza e d'ampliamento nel complesso dell'Ospedale Civile di Luciano Semerani e Gigetta Tamaro, e questo recente insediamento d'edilizia economico-popolare all'isola di Mazzorbo, presso Burano, su progetto di Giancarlo De Carlo.

Si tratta, come è ovvio, di opere tra loro molto diverse ma, salvo i padiglioni dell'Ospedale alle Fondamenta Nuove, legate tra loro dal comune insistere sulla reinterpretazione di uno specifico tema abitativo: quello, vale a dire, de "la casa veneziana". Nella sua mirabile ri-

Obedient to the myth of its tangible historical unity, Venice has a reputation for being a city hostile to the modern. Resisting transformation, it has always seemed to put up a screen against modernization, were it in the guise of classical restoration introduced by Fra Giocondo or Palladio, or in the impressionistic repropositions of Frank L. Wright and Le Corbusier.

Incapable, it would appear, of submitting to major projects for the unitary transformation of its central places, Venice has thus always contrasted the alternative of radical change with the subdued reality of a busy city-building site. Microarchitecture on a small scale, even when ultimately translated into the sheer falsification of hyper-Venetianness, has in this way revealed itself to be the exact counterpoint to the emphasis of grand demonstrative gestures, willingly relegated to the paradise of "lost opportunities".

True opportunities regained, on the other hand, are those to be found in the many unfi-

● Nella foto aerea della laguna veneta, le due isole vicine di Burano e Mazzorbo (quest'ultima è indicata dalla freccia). Nell'altra foto: veduta del complesso dal lato della darsena.
● *The aerial photo of the lagoon shows the two neighbouring islands of Burano and Mazzorbo (the latter indicated by the arrow). In the other picture: view of the complex from the quayside.*

costruzione della Venezia rinascimentale Manfredo Tafuri ha opportunamente sottolineato il peso esercitato sul "conservatorismo" abitativo dal richiamo al culto dell'origine rappresentato dal mito della cosiddetta "legge Daulia", che prescriveva per le case dimensioni eguali e modestia. Una sorta di democrazia edilizia, insomma, a sostegno della repubblica politica, cui non si sottraggono, ma che anzi difendono, i rappresentanti dello stesso patriziato. La "mediocrità" della casa, assunta come bandiera polemica contro l'importazione a Venezia di modi di vita forestieri, spinge ad esempio il doge Leonardo Donà ad annotare nel suo diario (1610): "Ho cominciato oggi la mia casa al modo nostro de Venetia". All'interno di questa dimensione specifica del "vivere a Venezia" si forma, più che altrove, il punto

di maggiore attrito, si sviluppa il punto di massima frizione tra innovazione e consolidamento, tra distacco dal moderno e restaurazione del passato. Attrito, frizione che costringono l'architettura a rendersi più disponibile al confronto fino al limite della sua scomparsa nel contesto. Precluso ogni spazio all'avanguardia, Venezia sembra ostinatamente rifiutare ogni discorso fondato sulla ripetibilità di modelli costruiti altrove, sull'applicabilità di figure "astratte" alla sagoma figurata delle sue tracce stratificate. Perdendo in purezza e in assolutezza, l'architettura si dispone così a un atteggiamento più discontinuo ed empirico, ma anche più sottile nella capacità di leggere le cose e tra le cose.
Una predisposizione, quest'ultima, quanto mai congeniale alla storia e alla formazione di Giancarlo De

Carlo, l'autore dell'insediamento abitativo nell'isola di Mazzorbo che accoglierà un nucleo di famiglie senza casa della vicina Burano. Predisposto dalla sua peculiare militanza progettuale a un approccio "morbido" ai temi dell'architettura, De Carlo si è ritagliato, nel suo avventuroso attraversamento del moderno, un posto invero singolare nel panorama professionale italiano di quest'ultimo dopoguerra. Le caratteristiche del suo impegno dentro e fuori del dibattito dell'architettura moderna internazionale sono certo troppo note per poter pensare di ripercorrerne in questa sede le vicende e le peculiarità. Sodale di quel gruppo d'architetti come Alison e Peter Smithson, Aldo van Eyck, Ralph Erskine, Georges Candilis e Jacob Bakema — cui toccò in sorte, nel 1959, di avviare una delle più pro- →

IN THE VENICE LAGOON

● Qui sotto: planimetria generale (in colore la parte realizzata). Nel disegno a destra: tavola sinottica con la combinazione dei tre tipi di alloggi. Il complesso è formato da trentasei case unifamiliari ed è disposto linearmente lungo un asse centrale. Nella foto: veduta del complesso dalla laguna.

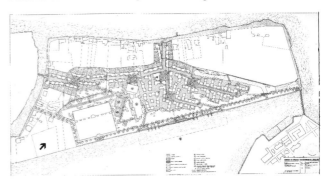

● *Above: general ground plan (showing the completed part in colour). Drawing on right: the combination of the three types of dwelling. The complex is made up of thirty-six one-family homes and has been distributed along a central axis. In the photo: view of the complex from the lagoon.*

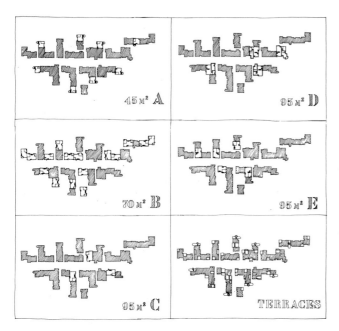

45м² A   95м² D

70м² B   95м² E

95м² C   TERRACES

nished urban spaces or outlying areas that are more open to change and actually need to reassert a fresh identity of their own. Significantly, to this dimension of planning and building belong such episodes as the new residential complex by Gino Valle at the Giudecca and the nearby Breweries currently being replanned under the direction of Giuseppe Gambirasio; the emergency wards and enlargements for the Civic Hospital by Luciano Semerani and Gigetta Tamaro; and this recent public housing estate on the island of Mazzorbo, near Burano, from the project by Giancarlo De Carlo.

These are, of course, very diverse works. But, with the exception of the Hospital pavilions at the Fondamenta Nuove, they have in common their insistent reinterpretation of a specific theme: that of "the Venetian house". In his admirable reconstruction of Renaissance Venice, Manfredo Tafuri aptly underlines the influence exerted on residential "conservativism" by the origins cult represented by the myth of the "Daulia Act", which prescribed equal dimensions and modesty for houses. It demanded, in short, a sort of democracy among buildings, in support of the political republic, which even the patrician class did not avoid and indeed defended. The "mediocrity" of the houses, raised as a controversial banner against the importation of foreign lifestyles into Venice, prompted Doge Leonardo Donà, for example, to note in his diary (1610): "Today I began my house al nostro modo de Venetia". Formed within this specific dimension of "living in Venice", more than elsewhere, is the point of greatest attrition: in it develops the point of maximum friction between innovation and consolidation, between a detachment from the modern and a restoration of the past. Such attrition and friction force architecture to lay itself open more to comparison, even to the point of actually disappearing altogether. Having precluded the avant-garde from its territory, Venice seems obstinately to reject anything founded upon the repeatability of models built elsewhere, on the applicability of patterns "abstract" to the figured outline of its stratified traces. Losing in purity and in absoluteness, its architecture thus lends itself to a more discontinuous and empirical, but also subtler attitude, in its capacity to read things and in between things.

This kind of situation is most congenial to the history and training of Giancarlo De Carlo, author of the housing estate on the island of Mazzorbo, which will accommo-

→

fonde e radicali contestazioni del Movimento Moderno dal suo stesso interno — De Carlo si è sempre mostrato alieno dall'interpretare qualsiasi ruolo di intellettuale "puro", arrivando a coinvolgere nella riflessione disciplinare tutti quei fermenti e tutte quelle tensioni che le circostanze politiche e le vicende sociali venivano offrendo come terreno di scontro e campo di scelta. Indifferente e anzi ostile a quello che egli stesso più volte ha bollato come il "formalismo" dell'architettura moderna, De Carlo ha avuto modo di sperimentare nel vivo del proprio lavoro di progettista questa concezione turbolenta del suo ruolo di architetto: ne fanno fede sia il pluridecennale lavoro di pianificazione e di architettura a Urbino — l'esatta "antitesi", come ha notato Kenneth Frampton, "dei piani cartesiani della *Ville Radieuse*" — sia il con-

troverso e sofferto progetto del quartiere Matteotti a Terni, dove ha modo di praticare, su una significativa scala semi-urbana, la sua attenzione ai modi dell'"architettura della partecipazione".
Si tratta, in ogni caso, di situazioni esemplari di quel suo duttile approccio alla forma, di quel suo attraversare in maniera sperimentale il tema dell'identità architettonica, sprovvisto di pregiudizi linguistici e disposto a percorrere fino in fondo la strada di un'analisi serrata e sofferta delle condizioni al contorno dell'atto progettuale. Tutto ciò comporta una difficoltà di desumere il ricorrere di una cifra stilistica dal complesso delle sue opere, che sono accomunate dall'attenzione rivolta agli aspetti metodologici e gestionali dell'atto progettuale più che ai suoi risvolti formali.
Questa strategia non discri-

minatoria nei confronti di tutte le componenti che precedono e accompagnano le scelte sostanziali della progettazione ha trovato un ideale campo di prova nell'ideazione del complesso abitativo di Mazzorbo, dove lo sforzo del progettista è stato veramente quello di dar voce alla folla di quei silenziosi protagonisti dell'architettura che sono i destinatari dell'intervento. De Carlo ne ha studiato i comportamenti e le aspirazioni, ne ha confrontato i bisogni con le regole del suo mestiere, ne ha analizzato lo sfondo geografico, storico e sociale in un serio e partecipe tentativo di cogliere la sottigliezza di quelle sfumature che la natura dei luoghi e l'indole degli isolani hanno contribuito a rinsaldare nella tangibile storicità del paesaggio antropizzato. Ma, soprattutto, De Carlo ha accettato quell'orizzonte di "mediocrità", quell'umile →

IN THE VENICE LAGOON

● Grande cura è stata posta nel disegno a terra del complesso. In particolare, la darsena (in queste foto) è stata interamente rivestita di mattoni, ad eccezione dei bordi, dei gradini e degli ormeggi che sono di pietra d'Istria. Sono gli stessi materiali che si ritrovano nelle parti più pregiate della vicina Burano.
● *Great care has been put into the ground pattern of the complex. In particular, the quay (in these pictures) has been entirely paved with brick, except for the edges, steps and moorings which are in Istrian stone. The materials are the same as the ones found in the best parts of the neighbouring island of Burano.*

date a group of homeless families from neighbouring Burano. Accustomed by his peculiar militancy to a "soft" approach to the themes of architecture, De Carlo, in his adventurous crossing of the modern, has carved out for himself a truly remarkable place on the Italian professional scene since World War II. His commitment inside and outside the modern international architectural debate is too well-known for us to think of retracing its vicissitudes and peculiarities here. Associated with that group of architects such as Alison and Peter Smithson, Aldo van Eyck, Ralph Erskine, Georges Candilis and Jacob Bakema — whose lot it was, in 1959, to launch one of the most profound and radical protests

against the Modern Movement from within its own ranks — De Carlo has always been opposed to interpreting any "pure" intellectual rôle. He has even brought into his disciplinary reflections all the ferment and tension which political circumstances and social events offered as a field of battle and of choice. Indifferent and indeed hostile to what he himself has several times dismissed as the "formalism" of modern architecture, De Carlo has had occasion to experiment directly, in his own practice, with this turbulent conception of his rôle as an architect. Proof of this are his decades-long work on the planning and architecture of Urbino — the exact "antithesis", as Kenneth Frampton has noted, "of

the cartesian plans of the Ville Radieuse" — as well as his controversial and troubled project for the Quartiere Matteotti in Terni, where he was able to practise, on a significant semi-urban scale, his attention to the "architecture of participation".
Such situations are in any case exemplary of that subtle approach of his to form, of that way he has of experimentally going through the theme of architectural identity, without linguistic prejudices and ready to go right to the bottom of a close, painstaking analysis of the conditions surrounding the act of design. All this makes it difficult to infer the recurrence of a style from the sum of his works, which are united by an attention to the methodologi- →

disposizione a farsi parte di un territorio esistente che partecipa, come innanzi si diceva, di un certo modo di "vita veneziana". Inserendosi con discrezione in un processo di lenta trasformazione dell'isola da luogo rurale a territorio abitato, egli ha disposto i semplici blocchi delle sue case in un dialogo di rispondenze tra il colorato habitat di Burano e i segni discreti che compongono la trama della distesa lagunare.

Nel 1968, passando in contestativa rassegna le "tesi" urbanistiche del primo Movimento Moderno, De Carlo, scriveva: "Abbiamo il diritto di domandare 'perché' l'edilizia residenziale dovrebbe essere quanto più economica possibile e non, per esempio, piuttosto costosa; 'perché' invece di fare ogni sforzo per ridurla ai minimi livelli di superficie, di spessore, di materiali, non dovremmo cercare di renderla spaziosa, protetta, isolata, confortevole, ben attrezzata, ricca di opportunità di privacy, di comunicazione, di scambio, di creatività personale". A vent'anni di distanza da questi interrogativi, le colorate case di Mazzorbo costituiscono, a dispetto dell'esiguità dell'insediamento, una risposta, come ben testimonia l'accuratezza con cui appare delimitato, rispetto alle abitazioni, il dominio dello spazio pubblico, il suo raccordarsi alle rive e alle tracce del luogo, alle falde del terreno e alla dinamica informale delle abitudini di vita. Lavorando sulla consistenza di piccoli segni, di elementi discreti — il rincorrersi dei tetti, il delimitarsi delle aperture, lo snodarsi dei colori degli intonaci, l'incastrarsi delle volumetrie, ecc. — De Carlo ha scelto di operare entro un orizzonte minimo per ottenere il massimo effetto. Sempre sottilmente in bilico tra una tentazione di "venezianità" e una sottesa dichiarazione di contemporaneità, egli ha mescolato l'alfabeto vernacolare della tradizione isolana ai modi del suo progetto, filtrando gli umori umbratili della terra per l'alambicco della sua modernità: questa si rivela nell'impostazione tipologica e nella stesura urbanistica del micro-abitato, al pari che nei piccoli dettagli di certe aperture vetrate, dove la interpretazione della tradizione si fa veramente riscrittura e non copia del contesto.

Sul finire del secolo scorso, convinto che gran parte dei compiti dell'edilizia riguardassero la tecnica piuttosto che l'arte, Adolf Loos scriveva: "Soltanto una piccolissima parte dell'architettura appartiene all'arte: il sepolcro e il monumento. Il resto, tutto ciò che è al servizio di uno scopo, deve essere escluso dal regno dell'arte". Di questa convinzione deve essersi fatto forza anche Giancarlo De Carlo, persuaso, dopotutto, che una casa, prima di poter essere giudicata col metro dell'estetica architettonica, vada misurata probabilmente con quello primario della sua abitabilità e del suo proporsi come dimora.

Fulvio Irace

IN THE VENICE LAGOON

pianta del piano terreno
ground-floor plan

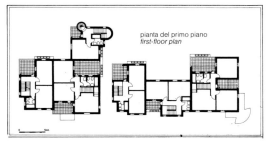

pianta del primo piano
first-floor plan

● Le tre tipologie di alloggi — 45, 70 e 95 metri quadrati distribuiti sempre su più piani — associate tra loro formano edifici diversi per composizione, dimensione, orientamento (vedi i disegni). Nella foto piccola: un passaggio verso i campielli. Alla pagina a lato: uno dei campielli. Secondo la tradizione buranese, tutte le soglie sono state tenute a un'altezza minima (3 centimetri); la difesa dall'alta marea è stata ottenuta con l'innalzamento di un metro di tutto il suolo del complesso.

● The three dwelling typologies — 43, 70 and 95 square metres — have all been distributed on different floors to form buildings differing in composition (see drawings). Small photo: a passage towards the campielli. Facing page: one of the campielli. In accordance with Burano tradition, all the doorsteps have been kept at a minimum height (3 centimetres). Defence against high tides has been obtained by raising the ground level of the complex by one metre.

cal and management aspects of the architectural act rather than to its formal nature.

This strategy of non-discrimination towards all the components that precede and accompany the substantial choices of design have found an ideal test in the ideation of the Mazzorbo housing complex. The architect's endeavour here has been to give voice to the crowd of silent actors in architecture who are its recipients. De Carlo has studied the behaviour and the aspirations of these users, compared their needs with the rules of his trade and analysed their geographic, historical and social background, in a seriously pledged attempt to grasp the subtlety of those nuances which the nature of the places and the temperament of the islanders have helped to weld into the tangible historicity of the anthropized landscape. But above all, De Carlo has accepted that horizon of "mediocrity", that humble readiness to be part of an existent territory which participates, as we were saying earlier, in a certain manner of "Venetian life". By blending discreetly into a process of slow transformation of the island from rural land to inhabited area. he has laid out the simple blocks of his houses in a dialogue of correspondences between the colourful habitat of Burano and the discreet lines of the lagoon.

In 1968, in a contestant review of the town planning "theses" of the early Modern Movement, De Carlo wrote: "We have the right to ask 'why' housing should be as economical as possible and not, for example, rather expensive; 'why' instead of having to make every effort to cut it down to minimal levels of surface, thickness and materials, we ought not instead to try to render it as spacious, protected, isolated and comfortable as possible, well-equipped and rich in opportunities for privacy, communication, exchange and personal creativity". Twenty years after, the coloured houses of Mazzorbo, despite the smallness of the development, are an answer to that question. The answer is well witnessed by the care taken to delimit public space in relation to the homes, in the way it is linked to the shores, to the traces of the place and to the shape of the land, to the informal dynamic of living habits. Working on the consistency of small signs and discreet elements — sequences of roof-tops, the delimitation of windows, the winding of plaster colours, the interwedging of volumes and so on — De Carlo has chosen to operate within a minimal horizon in order to produce the strongest effect. Always subtly poised between a temptation towards "Venetianness" and a tacit declaration of contemporaneity, he has mixed the vernacular alphabet of the island tradition with the modes of his own project, filtering the shady humours of the land through the still of his modernity. This is revolved in the typological definition and in the drafting of the micro-habitat, together with the cuttings of certain glazed apertures, where the interpretation of tradition becomes really a rewriting and not a copy of context.

Towards the end of the last century, convinced that the greater part of building was concerned more with technique than with art, Adolf Loos wrote: "Only a very small part of architecture belongs to art: the tomb and the monument. The rest, everything that has to serve a purpose, must be barred from the kingdom of art". De Carlo, too, must have found strength in this conviction, ultimately persuaded that a house, before it can be judged by the yardstick of architectural aesthetics, must be gauged probably by the primary yardstick of its habitability and its virtue as a home.

Fulvio Irace

RESTORATION: COLOUR, LANDSCAPE, AND DIALOGUE

Bernard Lassus, architect

Nell'est della Francia, a poca distanza dal granducato del Lussemburgo, c'è uno dei poli della siderurgia lorenese: la città di Thionville. Ai margini della città si trova un complesso di 750 alloggi di edilizia popolare del quale si sta terminando il risanamento intrapreso qualche anno fa. Mentre l'ufficio tecnico del Gruppo Batigère, proprietario degli alloggi, si occupa delle migliorie interne quali l'isolamento termico, il rifacimento dei bagni, ecc., il presidente Robert Schoenberger mi ha incaricato di dare una faccia nuova e diversa al complesso, dipingendo tutte le superfici esterne degli edifici che lo compongono. Si tratta di edifici assai banali e simili a innumerevoli altri: lo scopo dell'operazione è quello di trarli dall'anonimato, dando all'insieme una identità paragonabile a quella di un pezzo di quartiere. La planimetria del complesso mostra con chiarezza che esso è un esempio tipico di ciò che si faceva nei primi anni Sessanta: una successione di spazi liberi di varia grandezza bordati da edifici tutti uguali, "stecche" che differiscono soltanto per la lunghezza e l'orientamento. In mezzo, un tentativo di piazza con un supermercato e qualche negozio. Nelle superfici libere interne, parcheggi, vialetti, un po' di verde, un campo di calcio. Attorno, l'Ospedale Nord e altre case costruite dopo questo insediamento, d'appartamenti o singole, quasi tutte di tipo popolare, che tendono a formare un continuum verso il centro urbano. Dato che il complesso si trova alla periferia della città, perché non pensare prima di tutto a orientarne le superfici esterne — mediante la pittura — verso il centro cittadino, dove ci sono edifici medioevali, edifici improntati all'architettura tedesca, oltre che naturalmente edifici costruiti nel dopoguerra? E quindi, dipingere gli esterni del complesso raffigurando mura di cinta, una porta con lo stemma di Thionville, un castello, case più o meno grandi e più o meno antiche, ecc. E quindi, accanto al frazionamento orizzontale originato dalle "stecche", creare un altro frazionamento, di diverso tipo, di diverso ritmo, quello delle case dipinte sulle case, con i tetti che si stagliano su pezzetti più o meno grandi di cielo pure dipinto. Poi, sempre con la pittura, addolcire i lati ciechi degli edifici dipingendoli come facciate, creare dunque altre facciate, articolare la strada in giardino, dare la sensazione di attraversare una siepe di pioppi o di entrare in un castello e scoprirvi un parco dai confini incerti, dove gli alberi finti raddoppiano

(continua a pagina 229)

Situated in the east of France, not far from the Grand Duchy of Luxemburg, the town of Thionville is one of the chief steel manufacturing centres of Lorraine. A low-cost housing estate, comprising 750 homes lies on the outskirts of the city; the entire estate is currently undergoing renovation, an operation which began some years ago and is now nearing completion. The internal improvements, such as heat insulation, the refitting of bathrooms, etc., are being handled by the technical department of the Batigère Group, which owns the estate. The president of the group, Robert Schoenberger, called me in as a consultant to give the outside of the estate a fresh "new look" by decorating the external surfaces of the blocks with murals. The buildings themselves are dull and uninteresting, and very similar to innumerable others; the purpose of the operation is to make them emerge from their anonymity, and to give the entire estate the same kind of identity as though it were part of a city district. The plan of the estate shows clearly that it is a typical example of the housing developments of the early Sixties: a succession of unconstructed spaces of varying sizes flanked by identical buildings, rectangular blocks differing only in their length and directional axis. An embryonic square with a supermarket and a few shops is located in the centre. The free spaces between the blocks are occupied by car parks, pathways, patches of garden, and a

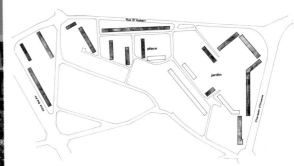

planimetria generale
(in grigio gli edifici
dipinti fino
al 10 settembre 1986)
ground plan
(the buildings shaded
in grey are those
already painted
by September 10, 1986)

RESTORATION: COLOUR, LANDSCAPE, AND DIALOGUE

football ground. In the vicinity there are other constructions — the Hôpital Nord and various houses built at a later date, including both one-family homes and apartment blocks, almost all in the low-cost housing category. They tend to form a continuum stretching towards the town centre. Given that the estate is located on the outskirts of the town, my first thought was to use painted decoration to create a metaphorical link between the outside of the blocks and the town centre where there are examples of mediaeval architecture and buildings in Germanic style as well as constructions built in the post-war period. I therefore decided to paint the outer surfaces with murals representing the town walls, a door with the coat of arms of the town of Thionville, a castle, houses of various sizes and eras, and so on. The second concept I followed was that of counterbalancing the horizontal segmentation created by the rectangular blocks with another segmentation of a different type and rhythm, achieved by painting fake houses onto the real ones, with roofs silhouetted against
→

(continua da pagina 224)
quelli veri e scandiscono le facciate come un'eco vegetale; e qua e là, all'inizio del percorso, una casetta o un padiglioncino. Un insieme in cui i lati degli edifici si sfumano in una passeggiata fra le case e i giardini. Ma gli edifici sono sempre là, con la loro presenza fisica e insieme con una presenza doppia — formano un paesaggio in cui l'una e l'altra sono indissociabili, un paesaggio critico.

Bernard Lassus

larger or smaller patches of painted sky. I softened blank walls by painting them with doors and windows to look like façades, thus creating new fronts, roads leading through "gardens", the illusion of passing through a row of poplar trees, or of entering a castle and discovering a park of indefinable dimensions where painted trees reproduce the real ones, punctuating the façades like a kind of arboreal echo. *Here and there at the entrance to a pathway or feeder road, I painted a cottage or small pavilion. The buildings blend into their surroundings, an illusionary townscape of houses and gardens. The concrete physical buildings and the metaphorical ones that decorate them form an urban landscape with a double presence in which both aspects are inseparable, each one a criticism of the other.*

Bernard Lassus

RESTORATION:
COLOUR,
LANDSCAPE,
AND DIALOGUE

CARACAS, THE UNIVERSITY CITY

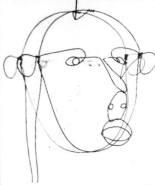

Carlos Raúl Villanueva, architect

A partire dal 1945 Carlos Raúl Villanueva compie una svolta verso una nuova idea di modernità: problemi sociali e preoccupazioni estetiche si fondono nel progetto della Città Universitaria, quasi una proposta di città ideale per la Caracas dei tempi moderni.

In 1945 Carlos Raúl Villanueva came to a turning point, towards a new idea of modernity; social problems and concern for aesthetics were blended into the plan for his University City, almost a proposal for an ideal Caracas of modern times.

Carlos Raúl Villanueva nacque a Londra nel 1900 e trascorse la giovinezza in Europa: sette anni in Inghilterra e il resto in Francia, dove seguì studi di architettura presso la Scuola Nazionale Superiore di Belle Arti di Parigi. Qui conseguì il diploma nel 1928.
Dopo aver realizzato alcuni lavori in Francia e negli Stati Uniti, tornò definitivamente in Venezuela durante la dittatura di Juan Vicente Gómez, e lavorò come architetto al servizio del Ministero delle Opere Pubbliche.
I suoi primi lavori hanno come scenario la città di Maracay, dove il dittatore aveva stabilito la propria residenza. Sebbene i cambiamenti politici avvenuti alla morte di Gómez aprissero nuove strade alla professione, Villanueva continuò a lavorare come architetto al Ministero. Di fatto questo è uno dei tratti più caratteristici di tutta la sua carriera professionale, in quanto egli lavorò sempre per lo Stato. Trasferì però la propria attività a Caracas, dove sviluppò fondamentalmente tre temi: la Casa, il Museo e l'Università.
Nell'analisi storica dell'opera di Villanueva la Città Universitaria e l'Aula Magna sono i momenti centrali: essi rappresentano il pieno trionfo di un'impostazione critica, resa in un oggetto di fulminante ricchezza poetica e suggestione evocativa.
Oggi, passati quarantasei anni dal progetto originario e dall'inizio della costruzione, questo giudizio continua a essere valido. Il significato e la vastità di quest'opera, che comprende un totale di quarantadue edifici (senza contare tutte le costruzioni ausiliarie come gli ingressi, i servizi, i passaggi coperti, eccetera) e che cambia e si trasforma col passare degli anni, escono dai limiti di questo scritto. Ho voluto iniziare con un testo dello stesso Villanueva che penso sintetizzi in modo chiaro e preciso i punti fondamentali del suo lavoro alla Città Universitaria. Innanzi tutto, la sua capacità di superare i rivolgimenti della società venezuelana dell'epoca. Ancora oggi, tenendo conto dei vertiginosi cambiamenti avvenuti in Venezuela e a Caracas in modo particolare, la sua opera architettonica appare imponente; considerata nell'ottica degli anni Quaranta, risulta ancor più straordinaria.
In secondo luogo si tratta di un progetto "vivo", soggetto a costanti trasformazioni. Il progetto originario, chiaramente organizzato su un asse di simme- →

Carlos Raúl Villanueva was born in London in 1900 and spent his youth in Europe: seven years in England and the rest in France, where he studied architecture at the Ecole des Beaux Arts in Paris, graduating in 1928. After doing a number of works in France and in the United States, he returned to Venezuela for good during the dictatorship of Juan Vicente Gómez and worked there as an architect for the Ministry of Public Works.
His first projects were set in Maracay, where the dictator had established his residence. And although the political changes that occurred after the death of Gómez opened new prospects for his profession, Villanueva continued to work as an architect at the Ministry. One of the most striking features of his whole career in fact is that he always worked for the State. However he did move his practice to Caracas, where he developed three fundamental themes: the House, the Museum, and the University.
The keystones of any historical analysis of Villanueva's work are the Ciudad Universitaria and the Aula Magna: they represent the complete triumph of a critical approach, rendered in works of electrifying poetic force and evocative magic.
Today, forty-six years after work →

begun on the original project, this evaluation still holds good. The meaning and sheer breadth of this opus, which includes a total of forty-one buildings (not counting all the auxiliary constructions such as entrances, services, covered passages, etc.) and which changes and is transformed as the years pass, cannot be encompassed by this brief article. I wanted to begin with a text by Villanueva himself, which I believe clearly and exactly sums up the key points of his work for the University. First of all: his capacity to overcome the upheavals of Venezuelan society during that period. Even now, considering the dizzy changes that have occurred in Venezuela and at Caracas in particular, his architectural achievements are impressive; but seen against the background of the Forties, they are still more extraordinary.
Secondly, the University is a live project, subject to constant transformations. The original design, clearly organized on an axis of symmetry reaching from the Hospital, taken as a pre-eminent element of the complex, to the Stadium at the opposite end, was transformed in the course of time and broken, giving rise to a greater fluidity in the organization of the buildings which gradually change their appearance. Both →

"L'architetto vive uno squilibrio talvolta veramente drammatico, determinato dalla instabilità e dalle contraddizioni della società che lo circonda e lo condiziona.
L'architetto come tipo sociale ha raggiunto, grazie all'evoluzione storica della sua figura e a una somma di tradizioni e di esperienze, un livello di coscienza tanto alto che gli impedisce di accettare un ruolo passivo nel processo di costruzione dello spazio per l'uomo.
L'architetto possiede oggi la coscienza storica della propria funzione. Per tale motivo egli lotta costantemente affinché vengano riconosciute le sue facoltà catalizzatrici, le sue percezioni anticipatrici, le sue naturali prerogative di creatore.
L'architetto non può assoggettarsi a essere un semplice traspositore, meccanico e passivo. L'architetto deve essere critico e accusatore. Nella sua opera aumenteranno così i valori di libertà e preveggenza.
Riassumendo si potrebbe dare la seguente definizione: l'architetto è un intellettuale, per formazione e per funzione. Deve essere un tecnico, per poter realizzare i suoi sogni di intellettuale. I sogni possono essere particolarmente ricchi, vivi e poetici. A volte, cioè, egli può anche essere un artista".
Carlos Raúl Villanueva

"The architect has to live in a sometimes very unbalanced situation, arising from the instability and contradictions of the society around him and by which he is conditioned.
The architect as a social type, through the historical evolution of his profession, has attained a sum of traditions and experiences at a level of consciousness so high that he is prevented from accepting a passive rôle in the process of building space for man.
The architect today is historically conscious of his rôle. For this reason he struggles constantly for recognition of his catalyzing faculties, anticipatory perceptions and natural prerogatives as a creator.
The architect cannot allow himself to be simply a mechanical, passive transposer.
The architect must be a critic and an accuser. The values of freedom and far-sightedness in his work will thus increase.
The upshot could be this: that the architect is an intellectual by training and function. He has to be a technician, in order to fulfill his dreams as an intellectual, which may be particularly rich, vivid and poetic. Sometimes he may even be an artist".
Carlos Raúl Villanueva

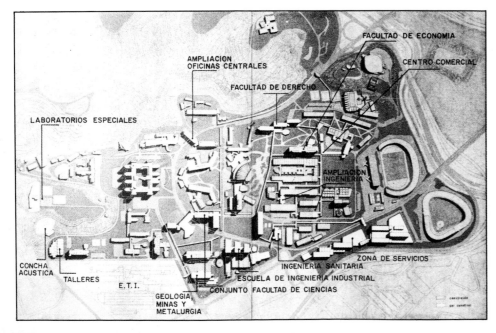

● A sinistra: planimetria generale della Città Universitaria. In alto: una caricatura di Villanueva in filo di ferro, opera di Calder. Nella pagina a lato: particolare dell'Ospedale, prima costruzione della Città Universitaria.
● *Left: general plan of the University City. Top: a caricature of Villanueva in wire, by Calder. Facing page: detail of the first building in the University City, the Hospital.*

tria che va dall'Ospedale, preso come elemento preminente del complesso, allo Stadio all'estremo opposto, si trasforma con il tempo, si spezza e dà luogo a una maggiore fluidità nell'organizzazione degli edifici che cambiano a poco a poco di fisionomia: entrambi gli schemi convivono, così come gli edifici di epoche diverse convivono all'interno di una "idea architettonica".

Idea costruita sulla base della modernità, ma di una modernità particolare, latina, tropicale, e di un'architettura sobria e accogliente, in armonia con il clima e con il nostro modo d'essere, piena di colore e di luce.

Non si tratta di un'architettura intellettualizzata, bensì di un'architettura concepita come scenario dell'esistenza umana. E questo scenario acquistò un nuovo significato grazie a una esperienza nuova: "La Sintesi delle Arti". Essa diede origine a un esperimento a mio parere incomparabile per il quale unirono i loro sforzi artisti venezuelani e stranieri quali Calder, Arp, Léger, Vasarely, Lam, Lobo, Pevsner, Narvaez, Manaure, Otero, Navarro e molti altri. Molti a quel tempo pensarono che Villanueva fosse pazzo. Quando la costruzione iniziò, sulla stampa il suo nome non era neppure menzionato. Oggi Villanueva e la sua personalità creatrice ci offrono un ricco campo di indagine, nel quale senza dubbio affondano le radici dell'architettura moderna in Venezuela e i sogni di un artista.   *Paulina Villanueva*

the schemata live together, just as the buildings of different periods cohabit within an "architectural idea".

An idea built on a modernity which is, however, a peculiarly Latin, tropical modernity: a sober, welcoming architecture, in harmony with the Venezuelan climate and mood of bright colour and light.

This architecture is not intellectualized, but conceived as the scenery of human existence which gained a fresh significance from a new experience: "The Synthesis of the Arts". This started what was, in my opinion, an incomparable experiment in which Venezuelan and foreign artists such as Calder, Arp, Léger, Vasarely, Lam, Lobo, Pevsner, Narvaez, Manaure, Otero, Navarro and many others combined their efforts.

Many people at the time thought that Villanueva was crazy. When building began, his name was not even mentioned in the press. Today, Villaneuva and his creative personality are a rich field to be explored, a field in which the modern architecture of Venezuela and the dreams of an artist are deeply rooted.

Paulina Villanueva

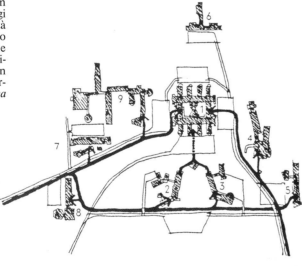

CARACAS,
THE UNIVERSITY CITY

● Nel disegno: lo schema di circolazione nell'area dell'Ospedale e dei Padiglioni di Medicina. Nella foto piccola: la facciata posteriore dell'Ospedale. Nella foto a destra: la facciata principale verso il giardino.

● *In the drawing: diagram of communications in the Hospital and the Medicine Pavilions area. Small picture: rear façade of the Hospital. Photo on right: main front facing the garden.*

CARACAS,
THE UNIVERSITY CITY

● Nelle foto a sinistra: la rampa che conduce all'Aula Magna nel corpo centrale, il cuore della Città Universitaria. I volumi non si chiudono mai; l'interpenetrazione fra interno ed esterno è assicurata dai grigliati delle pareti, dalle piccole "piazze" caratterizzate dalla presenza di opere d'arte, dal gioco delle coperture e delle pensiline di accesso. Nella foto alla pagina a lato: l'innesto tra le pensiline di accesso e la facciata della Facoltà di Architettura determina un piccolo patio, un vero e proprio polmone che nel clima tropicale di Caracas garantisce una costante ventilazione.

● *The photos on the left show the ramp leading to the Aula Magna in the central block, the heart of the University City. The volumes are never closed: the interpenetration of interior and exterior is assured by the slotted walls, by the small "plazas" with their art works, and by the play of roofs and projecting roofs over the entrances. Facing page: the grafting of the projecting roofs over the entrances and the Faculty of Architecture front creates a small patio, a lung assuring constant ventilation in the tropical climate.*

● A sinistra: l'esterno della Biblioteca Centrale con il rivestimento in tessere di ceramica rossa. In basso: veduta della Facoltà di Architettura con, in primo piano, gli atelier di progettazione. Nella foto a destra: la piazza dell'Aula Magna con un murale di Léger e la scultura in bronzo "Anfione" di Henri Laurens. Considerata come un vero e proprio museo all'aperto, la Città Universitaria vanta opere di Arp, Bloc, Calder, Gabo, Kandinsky, Lam, Laurens, Léger, Lobo, Narvaez, Otero, Pevsner, Soto, Vasarely, ecc.

● *Left: the exterior of the Central Library with its red ceramic tiled cladding. The other photo on the left show the Faculty of Architecture with the design studios the in the foreground. Right: the Aula Magna plaza with a mural by Léger and the bronze sculpture "Anfione" by Henri Laurens. Seen as being a real open-air museum, the University City has works by Arp, Bloc, Calder, Gabo, Kandinsky, Lam, Lobo, Laurens, Léger, Narvaez, Otero, Pevsner, Soto, Vasarely, etc.*

• Nelle foto a sinistra: giardini, pensiline, passaggi pedonali si trasformano nella concezione di Villanueva in esperienze plastiche di grande caratterizzazione visiva. Nella foto a destra: particolare della Piazza del Rettorato, il luogo preferito dagli studenti come punto d'incontro e riferimento d'appuntamenti; sull'edificio un murale di Oswaldo Vigas.

• *Left: gardens, projecting roofs, and pedestrian communications are transformed in Villanueva's conception into plastic experiments of great visual distinction. Right: detail of Rectorate Plaza, the students' favourite meeting-place; a mural by Oswaldo Vigas decorates the building.*

Così il dizionario definisce la parola geometria: "Parte della matematica che studia lo spazio e le figure spaziali". Una scienza esatta, dunque, ma anche un'astrazione ben difficile da spiegare senza addentrarci in campi che sono troppo lontani dal nostro. Eppure, le cinque realizzazioni illustrate in questo capitolo — la nuova piazza di un antico paese calabro, un monumentale grattacielo Art Déco, una villa sull'oceano in Australia, la Coonley House di Frank Lloyd Wright, una residenza immersa nel verde di un parco inglese — rendono immediatamente comprensibile il concetto. Esse sono, tutte, esatte e "astratte", hanno alla loro radice una forte componente teorica, con le loro linee rigorose e pulite giocano con lo spazio e creano lo spazio.

Geometria

GEOMETRY

Geometry, the dictionary tells us, is a mathematical system that is usually concerned with points, lines, surfaces, solids and space. It is an exact and abstract science, and one that is too difficult to explain without delving into realms far removed from homes and lifestyles. Yet the five realizations illustrated in this chapter — a new square in a little town in Calabria, a monumental Art Deco skyscraper, a house overlooking the Bay of Sydney, Frank Lloyd Wright's Coonley House, and a mansion in its verdant English park — give us an immediate grasp of the concept. All of them are exact and "abstract", and have a strong, theoretical component as their basis; their clean, rigorous lines play with space, creating space.

THE PIAZZA AT SANTA SEVERINA

*Alessandro Anselmi
and Giuseppe Patané,
architects*

Santa Severina è un vecchio paese della Calabria situato nell'entroterra ionico. Fra le sue case arroccate sulle pendici di una collina si apre in alto, proprio sul crinale, una piazza molto più lunga che larga, orientata da nord a sud e di forma irregolare: viene chiamata "Campo", probabilmente per essere stata in tempi antichi una piazza d'armi. Infatti, mentre all'estremità nord della piazza si trovano la cattedrale, il battistero bizantino e l'episcopato, all'estremità sud sorge il castello, costruito da Roberto il Guiscardo nell'XI secolo e ristrutturato nel XVI da Andrea Caraffa sulla base delle nuove tecniche militari derivate dall'uso delle armi da fuoco. Un profondo fossato, ormai privo d'acqua, separa la piazza dal castello. Prima del fossato, e del ponte che lo supera, il "Campo" si allarga in due speroni laterali sostenuti dal muro di contenimento del fossato stesso. Essi formano un belvedere che si apre a oriente e a occidente sui tetti delle case su un orizzonte di grande bellezza e vastità che va dai monti della Sila al mare Ionio. Questa piazza è il principale spazio pubblico urbano: uno spazio affascinante per la forma e per la posizione, per la luce dei tramonti e per la suggestione del cielo del sud che di notte brilla così basso e così vicino da dare l'illusione di poter essere toccato con la punta delle dita.
L'Amministrazione Comunale decise qualche tempo fa di ripavimentare la piazza pensando a qualcosa di diverso dal semplice asfalto. Ne affidò l'incarico all'architetto romano Alessandro Anselmi e all'architetto locale Giuseppe Patané. E questa fu l'occasione per un intervento che appare molto poetico e singolare, in

tempi frettolosi come i nostri; ben radicato in quel luogo, in quel cielo, e tuttavia denso di significati più universali, originari e simbolici. Una piazza come una cosmogonia.
Il porfido e il travertino sono i materiali usati, il primo per la pavimentazione di base, il secondo per il disegno. Il tratto più forte è una grande ellisse il cui asse maggiore (che corrisponde all'asse principale della piazza) è orientato secondo la direzione nord-sud. L'asse maggiore, l'asse minore e otto radiali dividono l'interno dell'ellisse in dodici spicchi che convergono al centro in una rosa dei venti del diametro di 4 metri. Nel nucleo circolare della rosa è disegnato un occhio, "l'occhio della conoscenza"; dal nucleo si dipartono otto triangoli che con il vertice toccano altrettante piccole ellissi incise sull'anello esterno della rosa, ciascuna raffigurante un vento e la relativa direzione: nord Tramontana, nord-est Grecale, est Levante, sud-est Scirocco, sud Ostro, sud-ovest Libeccio, ovest Ponente, nord-ovest Maestro. Dall'ellisse maggiore si irradiano nella piazza, generati da un centro unico, degli archi di circonferenza come cerchi nello stagno che si "rompono" contro gli edifici prospicienti la piazza, o come frammenti di un sistema di cerchi concentrici che è sentito come un tutto unico anche

se è ideale e non percepibile visivamente (per la presenza appunto degli edifici): in tal modo si è data sistemazione a questo microcosmo ribadendo la centralità della piazza — centralità fisica e centralità di significati — rispetto all'intorno.
Ma la "narrazione" non è finita qui. La piazza è una summa, altri segni sono collocati in punti chiave, segni e simboli che racchiudono il sapere antico dell'uomo: il giorno, la notte, le settima- →

• Planimetria della piazza con la nuova pavimentazione; sullo sperone a sinistra, il giardino pubblico. Nella pagina a lato: veduta dall'alto della piazza.
• *Plan of the newly-paved square; the public gardens on the lateral arm extend to the left. Facing page: a view of the square.*

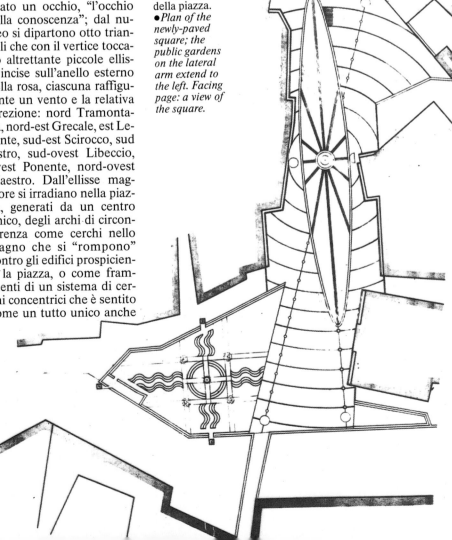

Santa Severina is an ancient inland town in Calabria. Its houses climb up the steep slopes of the hill on which the town is built, suddenly opening out right at the top into an irregularly shaped square, much longer than it is broad, and aligned along a north-south axis. The square is called the "Campo" — field or ground — probably because it was used as a parade ground in ancient times. This would seem to be borne out by the fact that the cathedral, the Byzantine baptistery, and the bishop's palace are clustered at the northern end of the square, while at the opposite southern end there is the castle built by Roberto il Guiscardo in the eleventh century, and later restructured by Andrea Caraffa in the sixteenth century to incorporate new military and architectural features made necessary by the widespread use of firearms and cannon. A deep moat, now dry, separates the castle from the square. Just before the moat and the bridge that spans it, the "Campo" broadens out and sprouts two lateral arms that are supported by the walls of the moat itself. They form a belvedere that looks out to the east and west over the rooftops of the town towards a stunningly beautiful horizon, stretching from the mountains of the Sila region in central Calabria to the Ionian Sea over to the west. This square is the town's most important public space and its shape, position, and the wonderful sunsets that can be seen from it, give it a fascination all of its own. At night the stars overhead seem almost close enough to touch. The local government authorities of Santa Severina decided some time ago to resurface the square, but they wanted something different from ordinary asphalt. They commissioned two architects — Ales-

THE PIAZZA AT SANTA SEVERINA

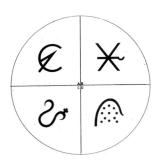

● Nel disegno qui sopra: in alto i simboli della primavera e dell'estate, in basso quelli dell'autunno e dell'inverno. Nel disegno in basso: il simbolo del pianeta Mercurio. Nella foto qui sopra: particolare dell'occhio che sta al centro dell'ellisse. Sotto: il ponte sul fossato, la piazza e il giardino pubblico. Nella foto in basso: il simbolo del pianeta Mercurio inciso su una lastra di travertino. Nella pagina a lato: particolare dei sedili nel giardino pubblico.

← ne, i mesi, gli anni, le stagioni, i pianeti, l'oro, l'argento, altri metalli, altre materie. A sud-ovest, come si è detto, la piazza si allarga in uno sperone-belvedere: la Villa Comunale o giardino pubblico. Un giardino anch'esso obbediente a simboliche geometrie: nove "campi" erbosi definiti da vialetti di pietra, un sedile centrale rotondo come un sole con una fontana all'interno, una stella di ferro a diciotto punte collocata sulla fontana, quattro serie di sedili curvilinei in doppio ordine come raggi o come onde, quattro alberi d'arancio, ecc. Così, contro l'imperversante incuria, un paese del profondo sud ha saputo nobilitare la propria piazza.

north-south axis is aligned with the main axis of the square itself. The ellipse is divided by its major and minor axes and eight radii into twelve wedge-shaped segments that converge at the centre of the ellipse into a compass-card four metres across. The round centre of the compass-card contains an eye, the "eye of knowledge", and from it there extend eight triangles whose vertices touch eight smaller ellipses engraved in the outer ring of the rose, each depicting a wind and its direction — the Tramontana or North Wind, the Grecale or North-East Wind, the Levante or East Wind, the Scirocco or South-East Wind, the Ostro or South Wind, the Libeccio or South-West Wind, the Ponente or West Wind, and the Maestro or North-West Wind. A series of circumference arcs radiates out from the centre of the larger ellipse towards the buildings lining the square, where they seem to break up and disappear, like ripples on a pond, or like the fragments of a system of concentric circles whose entirety is only felt, rather than visually perceived, on account of the buildings which break it up. Thus the microcosm engraved on the square is held together by the central significance — both physical and symbolic — of the square itself in relation to its surrounding buildings and the wider context of town and country outside it.

However, the square has even more to tell us because it is also a "Summa", a compendium and synthesis of Man's ancient wisdom presented in the form of signs located in key positions in the square: day and night; weeks, months and years; the seasons and planets; gold and silver; other metals and other materials. As has already been mentioned, the square broadens out into a belvedere at its southern end, where it becomes the Villa Comunale, or public gardens, and these gardens also have a geometrical and symbolic arrangement. Nine "campi erbosi" or grass plots marked off by stone paths; a round, sun-shaped central bench with a fountain inside it that carries an eighteen-point iron star; four rows of curved benches in double file like rays or waves; four orange trees, and so on. Thus a small town in southernmost Italy has enhanced the beauty of its main square with an intelligent civilized project.

● Top drawing: the symbols of spring, summer, autumn and winter. Drawing below: the symbol of the planet Mercury. Top photo: detail of the eye at the centre of the ellipse. Photo above: the bridge over the moat, the square, and the public gardens. Photo below: the symbol of the planet Mercury engraved on a slab of travertine. Facing page: detail of the benches in the public gardens.

← sandro Anselmi from Rome, and Giuseppe Patané from Santa Severina itself — to carry out the work. The scheme they devised is perhaps uniquely poetic for the hectic times we live in, and is clearly rooted in the spirit of the place and the sky above it. It is rich in older, more universal meaning and symbolism than most modern projects of its type, because what they have done is to change the square into a cosmogony, a representation of the cosmos or universe.

The two architects decided to pave the square with porphyry and travertine, the former for the general surface and the latter for the design. The most obvious feature is a large ellipse whose major

La cassaforte di Chicago
CHICAGO'S STRONGBOX

Holabird & Root, 1930, architects

*addition, 1980,
Murphy/Jahn, Shaw & Associates,
Swanke, Hayden, Connell,
architects*

Istituzione centrale dell'economia metropolitana, il Board of Trade di Chicago è il giusto fondale contro cui si chiude la lunga prospettiva di La Salle Street, l'asse "finanziario" della città. Se Chicago infatti è il granaio d'America, il Board of Trade ne è la cassaforte. Una cassaforte ovviamente simbolica come ci ricorda, sin dalla strada, l'ingresso al monumentale grattacielo. Come un festone appeso alle due stilizzate teste bovine che sormontano le alte finestre, la scritta "Chicago Board of Trade" è a sua volta sormontata dalla sagoma di un orologio — "Time is money" — ai cui lati le sagome pietrose di un antico abitante della Mesopotamia e di un primitivo indiano d'America sintetizzano la traiettoria di diffusione del fondamentale alimento — il grano, appunto — da cui trae ancor oggi la sua ricchezza la Borsa Merci di Chicago. All'interno, la stringata eleganza Déco della slanciata lobby fornisce l'altra faccia dell'efficientismo americano, a giusto corollario del senso degli affari che contraddistingue la capitale del Midwest. Austerità e raffinatezza costituiscono la scena più appropriata ai rituali frenetici di questo capitalistico tempio degli affari.

E proprio alla nota dominante delle lucenti tonalità del marmo, dei traslucidi riflettori vetrosi, delle opulente finiture di ottone, si ispira la recente addizione di Murphy/Jahn e altri destinata a incrementare il giro d'attività della florida istituzione. Alto ventitré piani, il nuovo edificio si pone a commento della caratteristica sagoma del preesistente grattacielo: quasi ne ripete, anzi, in semplificate movenze la forma a radiatore del tetto, assunta a simbolo dell'intero complesso. I primi dodici piani alloggiano gli spazi destinati alle contrattazioni di borsa, in corrispondenza con quelli contenuti nell'altro edificio. Al di sopra invece la struttura si espande, per così dire, raccogliendo attorno a un gigantesco atrio coperto altri dodici piani di uffici. Delimitato per tre lati da una sottile membrana di vetro, l'atrio del nuovo edificio diventa lo spettacolare punto d'intersezione tra il vecchio e il nuovo: è proprio infatti l'impaginato lapideo del grattacielo di Holabird e Root a costituire lo sfondo, il quarto lato, di questo stupefacente spazio scandito dalle passerelle a vista degli ascensori "trasparenti" e dalle inflessioni gentili dei setti vetrosi.

● Una veduta di La Salle Street e, sul fondo, l'edificio del Board of Trade (architetti Holabird e Root, 1930). Nella foto piccola e alla pagina a lato: marmi ed elementi decorativi Art Déco nella lobby (l'atrio).

● *A view of La Salle Street and, in the distance, the Board of Trade Building (architects Holabird and Root, 1930). In the small picture and on facing page: marbles and Art Deco decorations in the lobby.*

Bastion of the city's economy, the Board of Trade is the proper backcloth against which the long perspective of La Salle Street, Chicago's "business" axis, closes. For if Chicago is the granary of America, the Board of Trade is its safe. A symbolic safe, of course, as the entrance to the monumental skyscraper reminds us as soon as we enter the street. Like a festoon hung from the two stylized bovine heads surmounting the tall windows, the words "Chicago Board of Trade" are in their turn surmounted by the outline of a clock — "Time is money". On either side of this clock the stony shapes of an ancient inhabitant of Mesopotamia and of a primitive American Indian synthetize the trajectory of the fundamental food — corn — from which the Chicago Board of Trade still continues to draw its wealth. Inside, the concise Deco elegance of the lobby shows the other side of American efficiency, in a fitting corollary to the business flair that distinguishes the Midwest capital. Austerity and stylishness set the most appropriate stage for the frantic rituals of this capitalistic temple of business.

CHICAGO'S STRONGBOX

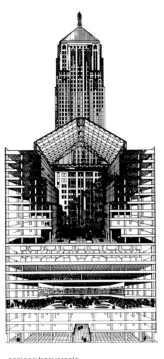

• A sinistra: l'edificio del Board of Trade e la recente addizione (architetti Murphy/Jahn e altri) costruita sul retro, dalla parte opposta a La Salle Street; in primo piano, i treni della La Salle Street Station.
• Nella pagina a lato: una visione dal basso verso la copertura di vetro dell'atrio; è evidente la "duplicazione" dello stile Art Déco ripreso dall'edificio preesistente.
• *Left: the Board of Trade Building and the recent addition (architects Murphy/Jahn and others) built onto the rear, on the opposite side to La Salle Street; in the foreground, trains at La Salle Street Station.*
• *Facing page: view from below of the glazed lobby roof; the duplication of the Art Deco style from the previous building is evident.*

sezione trasversale
cross section

And indeed the dominant polished marble tonality, the translucid glazed reflectors and the opulent brass finishes, provide the inspiration behind the recent addition by Murphy/Jahn and others, intended to boost the turnover of this flourishing institution. 23 storeys high, the new building seems to comment on the distinctive outline of the earlier shyscraper, almost repeating in simplified movements the radiator-shape of the roof, taken as a symbol of the whole complex. The first 12 storeys are occupied by the corn exchange bargaining halls, corresponding to those housed in the other building. Higher up the frame expands, so to speak, gathering a further 12 floors of offices around a gigantic covered lobby. Delimited on three sides by a thin glass membrane, the atrium of the new building becomes the spectacular intersection point between old and new. It is precisely the stony frame of Holabird and Root's skyscraper that forms the backcloth, the fourth side, to this astonishing space, spelt out by the "transparent" elevator gangways and by the gentle inflections of glassy partition walls.

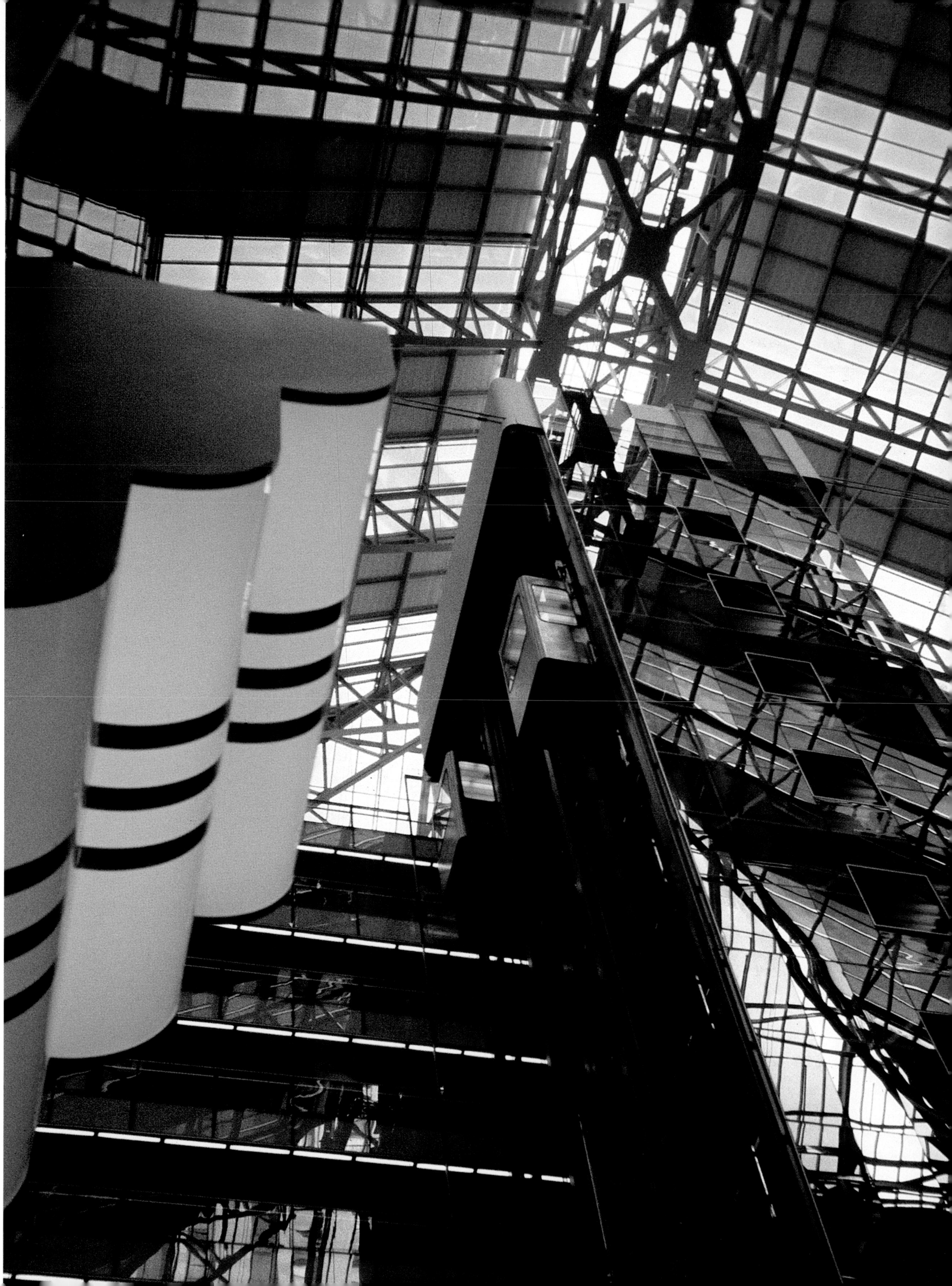

foto Carlo Santi

OVERLOOKING
THE BAY OF SYDNEY

Harry Seidler, architeet

A soli dieci minuti di macchina dal centro di Sydney, una casa sul mare appartata e tranquilla con il tetto e i terrazzi che sembrano onde, e si intrecciano dando l'impressione di una enorme scultura. Una forma coerente con le altre forme della costruzione.

Only ten minutes' drive from the centre of Sydney stands this secluded, tranquil house on the seashore; the roof and terraces are shaped like waves, and intermingle like an enormous sculpture.

Harry Seidler, una delle figure di spicco dell'architettura internazionale (vedi ad esempio l'Hong Kong Club Building, Abitare n. 243, pagina 260), è nato a Vienna, ha studiato a Harvard negli Stati Uniti con Walter Gropius, ha lavorato a New York con Marcel Breuer. A Sydney è arrivato nel 1948 con un bagaglio di cultura e di esperienze che l'ha collocato — non è esagerato dirlo — nella posizione di padre dell'architettura moderna in Australia. È un convinto "razionalista strutturale" e a questo proposito va ricordata la sua collaborazione con il nostro Pier Luigi Nervi e i figli di lui (l'Australia Square a Sydney, 1961-67, l'ambasciata australiana a Parigi, 1973-77). Anche alla scala della casa unifamiliare, come questa che presentiamo, è possibile notare la grande sicurezza progettuale, la libertà e la felicità dell'invenzione che però non è mai fine a se stessa, non attinge a mode o eclettismi storicistici che egli detesta, ma propone soluzioni originali sempre rigorosamente discendenti dalle caratteristiche della costruzione e del sito.

●

Harry Seidler, a leading figure in the international architectural scene (see for example his Hong Kong Club Building featured in Abitare no. 243, page 260), was born in Vienna, studied at Harvard, USA under Walter Gropius, and then worked with Marcel Breuer in New York. When he arrived in Sydney in 1948 his cultural background and professional experience were such as to make him, without exaggeration, the founding father of modern architecture in Australia. He is a convinced "structural rationalist", as is testified by the works he designed in collaboration with the Italian architect Pier Luigi Nervi and the latter's sons (Australia Square, Sydney 1961-67, Australian Embassy, Paris 1973-77). Even in projects on the scale of a family home, such as the one illustrated here, one notes the remarkable confidence of his design and his capacity for felicitous invention, which however is never just an end in itself, never follows fashion, and never indulges in the revival of historic styles, which he detests; his solutions are original but always strictly determined by the characteristics of the building and site in question.

OVERLOOKING THE BAY OF SYDNEY

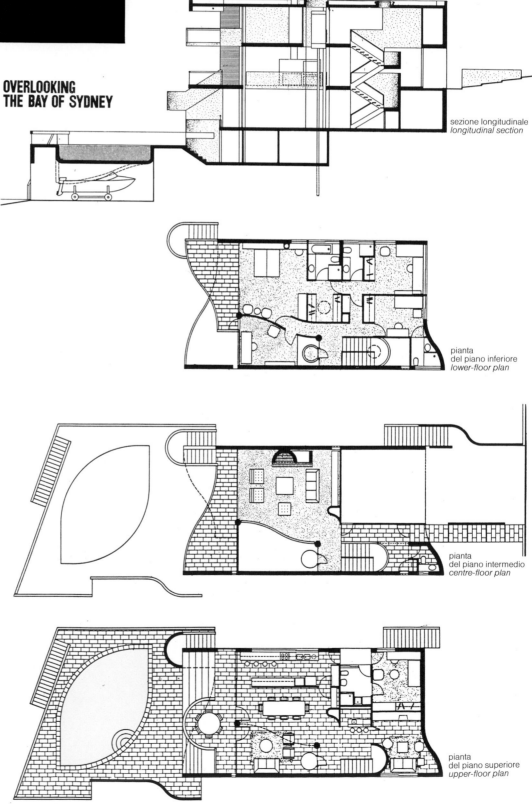

sezione longitudinale
longitudinal section

pianta del piano inferiore
lower-floor plan

pianta del piano intermedio
centre-floor plan

pianta del piano superiore
upper-floor plan

SULLA BAIA
DI SYDNEY

● Viste dal basso, le
forme ondulate dei
terrazzi e del tetto si
intrecciano dando
l'impressione di una
enorme scultura.

● *Seen from below, the
undulating lines of the
terraces and roof fuse into
a single form, reminding
one of an enormous
sculpture.*

● La semplice struttura rettangolare dell'edificio è arricchita, come si è visto nelle pagine precedenti, dalle curve dei terrazzi sporgenti sul fronte verso il mare. La loro forma a mezza lira non è gratuita. Nella parte più profonda i terrazzi offrono spazio per zone di conversazione all'aperto, schermando inoltre dal sole le vetrate sottostanti; la parte meno profonda consente invece a chi sta dentro la casa di arrivare con lo sguardo all'insenatura marina e alla riva opposta coperta dal verde di un parco pubblico. All'interno le visuali sono varie e movimentate anche in senso verticale, perché il piano inferiore è parzialmente a doppia altezza; la linea curva vista nei terrazzi si ripete nel muro che fa da parapetto al soggiorno al piano intermedio. Nella foto piccola: una vista dalla scala verso il piano inferiore e verso la sporgenza rotonda, al di là della vetrata, della zona del pranzo all'aperto. Ancora il piano inferiore visto dall'alto nella foto grande. Il lungo tavolo è stato eseguito su disegno, le poltroncine in cavallino sono quelle ben note di Le Corbusier. Sparsi per la casa dai toni neutri e contenuti, i colori di opere di Miró, Stella, Albers, Calder.

OVERLOOKING THE BAY OF SYDNEY

● The simple rectangular structure of the house is enhanced by the curves of the projecting terraces on the front facing the sea. Their shape, similar to a half-lyre, is not purely decorative. The deepest parts of the terraces can be used as outdoor sitting groups, and also serve as sun protection overhangs for the glass walls. The narrow parts offer to those who are inside the house a view out over the bay and across to the opposite shore, where a public park forms an attractive patch of green. The internal perspectives of the house are visually stimulating, offering vertical as well as horizontal vistas; part of the centre floor has been cut away, leaving an area two storeys high. The curved contours of the terraces are echoed in the wall which forms the parapet of the living-room on the centre floor. In the small photo: a view from the staircase, looking towards the lowest floor and the round "peninsula" beyond the windows, which constitutes the outdoor dining area. Large photo: the lower floor seen from above. The long table was custom-made, whereas the chairs with horse-hide covers are the familiar Le Corbusier model. The neutral, muted tones of the house offer a perfect background for the colours of the paintings, by Miró, Stella, Albers and Calder.

● Al piano inferiore (foto piccola) la pavimentazione in lastre di quarzite continua coerentemente sul terrazzo e attorno alla piscina. Di fronte alla scala, il cilindro trasparente dell'ascensore — un "tubo" di vetro dentro un altro tubo di vetro — è un elemento molto essenziale ma notevolmente scenografico. La stessa cosa si può dire del soggiorno al piano intermedio (foto grande). Una moquette bianca, una parete luminosa, sulla destra le curve del parapetto, l'ascensore, la scala; sulla sinistra la curva del camino. Al centro i mobili: poltrone di Mies van der Rohe e un divano italiano (di Brunati, design Titina Ammannati e Giampiero Vitelli) rivestito di pelle nera. In questa casa così elegante, così quieta, così intelligentemente risolta in ogni particolare pur entro i limiti di un lotto di terreno di soli 12 metri di larghezza (la casa ne occupa 9), vivono di fronte al mare un ricco industriale e la sua giovane e bella moglie.

OVERLOOKING THE BAY OF SYDNEY

● On the lower floor (small photo) the floor covering of quartzite slabs is sensibly continued outdoors on the terrace and round the swimming-pool. Opposite the staircase is a free-standing, circular, glass lift — a glass "tube" inside another glass tube — simple, but visually very effective. The same applies to the living-room on the centre floor (large photo): a white fitted carpet, an illuminated wall, the curved lines of the parapet, lift and stairs on the right, and a curved fireplace on the left.

The furniture sits in the centre: Mies van der Rohe armchairs and an Italian sofa in black leather (from Brunati, design by Titina Ammannati and Giampiero Vitelli). The inhabitants of this elegant, peaceful house, intelligently planned to the last detail (despite the limitations imposed by a site only twelve metres wide, nine of which are occupied by the house) and with a splendid view out towards the sea, are a wealthy industrialist and his young, attractive wife.

A Riverside,
una casa di Frank Lloyd Wright

A HOUSE AT RIVERSIDE
BY
FRANK LLOYD WRIGHT

"La più riuscita delle mie opere", scrisse Wright a proposito della Coonley House di Riverside, ricordando con piacere nelle pagine dell'autobiografia come l'incarico gli fosse stato affidato dai proprietari perché nelle sue opere avevano intravisto "l'espressione di un principio".

Realizzata tra il 1907 e il 1909, quindi a stretto ridosso di una serrata serie di capolavori come gli uffici Larkin di Buffalo del 1904, l'Unity Temple di Oak Park del 1906, e la Robie House di Chicago del 1908, la straordinaria abitazione dei Coonley è tra le prime applicazioni integrali di quella "semplicità organica" che Wright si sforzò di raggiungere e di perseguire nella necessaria "rivoluzione" dello spazio domestico. "Parlando in termini generali — disse nel 1930 a Princeton — mi piace vedere nella casa una sorta di compagna di vita dell'uomo e delle piante: essa deve essere dotata di una struttura armonica tale da costituire un nucleo di serenità perfettamente inserito della natura circostante".

Magistralmente articolata nelle sue diramazioni funzionali, la Coonley House mostra tutta l'abilità compositiva di Wright nel trattamento del tipico lotto suburbano: facendo ricorso a vere e proprie appendici — portes-cochères, portici, specchi d'acqua, vasi da fiori, garage, ecc. — il giovane architetto impara infatti a distribuire le articolazioni volumetriche nell'intero spazio a disposizione, descrivendo un paesaggio controllato sin nei minimi particolari e improntato alla fluida dinamica di una continua interrelazione dei vari elementi.

Scrisse Vincent Scully: "Ingegnosamente intessendo il dentro e il fuori, egli riusciva a trasformare il semplice cubo di una casa. La stessa strada, appena al di là del prato all'americana, è rispettata, usata, persino rafforzata nel suo significato. Sembrava proprio che agli abitanti delle case di Wright piacesse anzi rimirarla, con il suo passeggio di abiti bianchi nella luce del tramonto, mentre se ne stavano seduti nella protetta ombra verde dei loro portici".

Organizzando gli ambienti in una ininterrotta sequenza di serrate concatenazioni spaziali, Wright realizza nella Coonley House una evidente testimonianza di quell'ideale di "plasticità", di "spazialità racchiusa" in cui si esprimeva la sua ostinata ricerca di "un senso dell'architettura completamente nuovo". L'idea dell'edificio come "uno spazio interno plasmato dalla luce" comincia qui a rivelarsi nel ritrarsi dei muri e nel libero amalgamarsi delle tradizionali suddivisioni degli ambienti: la perfetta integrazione postulata dal conseguimento della "semplicità organica" si traduce così nella negazione del concetto di casa come "caverna decorata" e nell'affermazione, al suo posto, di una nozione di disegno totale dello spazio in cui anche gli impianti tecnici di illuminazione e riscaldamento e il mobilio divengano parte strutturale dell'edificio.

"La mia idea — confessò Wright in una conferenza a Chicago nel 1931 — era che, in quel paesaggio così pianeggiante, le case dovessero appoggiare *sulla* terra, e non *dentro* di essa, come si usava fare... Il generoso assetto delle falde del tetto sull'insieme dell'edificio fu invece il risultato di un'altra idea, quella che la casa dovesse avere, prima di tutto, l'aspetto di un rifugio; non di un rifugio sotterraneo, ma di un rifugio all'aperto". Ma, soprattutto, l'introduzione di un sistema di proporzionamento direttamente rapportato alla misura del corpo umano gli consente di dare corpo architettonico a quell'immagine dell'"orizzontalità" in cui credeva di scorgere il segreto di un docile farsi parte del paesaggio. "Umanizzando" le proporzioni della casa, sostituendo la "casa-scatola" con la continuità di un unico spazio, la "profezia dell'architettura organica" apriva la dimensione di un nuovo orizzonte della ricerca architettonica: un orizzonte, come è noto, di cui non poco si trovò debitrice l'avanguardia europea dei primi del secolo e che, pur tuttavia, nel maestro americano solamente trovò la maniera di una trasformazione covincentemente "naturale" e consona all'ideale di vita delle generazioni del nuovo mondo.

Fulvio Irace

● Nei grandi ambienti comuni all'ultimo piano il trattamento "plastico" dei soffitti pervade l'idea stessa dello spazio domestico come rifugio.

È lo stesso Wright a descrivere il procedimento seguito nel progetto innovativo di queste "prairie houses": "La mia idea era che i muri partissero direttamente da terra... e che si interrompessero all'altezza dei davanzali del secondo piano per permettere agli ambienti superiori di usufruire dei vantaggi di una finestratura continua, posizionata proprio sotto le falde dolcemente digradanti del tetto".

"The most successful of my houses", wrote Wright on the subject of Coonley House at Riverside in his autobiography, remembering with pleasure that he had been commissioned by the owners to design it because they had glimpsed in his works "the countenance of principle". Built between 1907 and 1909, and thus at a period very close to that of masterpieces such as the Larkin offices at Buffalo (1904), Unity Temple at Oak Park (1906), and Robie House in Chicago (1908), the extraordinary Coonley House is among the first complete applications of that "organic simplicity" which Wright strove to accomplish in the necessary "revolution" of domestic space. Speaking at Princeton in 1930 he said: "A house, we like to believe, is statu quo a noble consort to man and the trees; therefore the house should have repose and such texture as will quiet the whole and make it graciously at one with external nature". Articulated with masterly functional ease, Coonley House displays all Wright's compositonal skill in handling a typical suburban site. By even resorting to such constructional appendices as portes-cochères, porches, ponds, flower-pots, garages, etc., the young architect learnt to distribute their volumes within the available space, describing a landscape controlled right down to the smallest details and guided by the fluid dynamic of a continuous interrelationship of the various elements. Wrote Vincent Scully: "He could take a simple square house and get all that from it, weaving inside and out. The street itself, out there beyond the American lawn, is respected, used, enhanced. Wright's people seemed actively to want to see it as they sat in the protected green darkness of their porches watching the white dresses come up the sidewalk in the failing light". Deploying his rooms in an uninterrupted sequence

● In the large communal areas on the top floor, the "plastic" treatment of the ceilings pervades the very idea of domestic space as shelter. It is Wright himself who described the innovative process adopted in these "prairie houses": "House walls were now to be started at the ground... stopped at the second story window-sill level, to let the rooms above come through in a continuous window-series, under the broad eaves of a gently sloping overhanging roof".

of spatial concatenations, Wright gave in Coonley House a clear account of the ideal "plasticity" and "space enclosed" which expressed his quest for "an entirely new sense of architecture". The idea of the building as "a creation of interior-space in light" began here to reveal itself in the shifting back of walls and in the free amalgamation of traditionally divided interiors. The perfect integration postulated by the accomplishment of "organic simplicity" is thus translated into a denial of the house as a "decorated cave" and into the contrasting statement of a totally dsigned space. Even the lighting and heating systems and the furniture are a structural part of the building itself.

"I had an idea", confessed Wright at a lecture given at Chicago in 1931, "that every house in that low region should begin on the ground — not in it — as they then began, with damp cellars... An idea that shelter should be the essential look of any dwelling put the spreading roof with generously projecting eaves over the whole: I saw a building primarily not as a cave, but as shelter in the open". Most of all, however, the introduction of a system of proportioning, directly related to the measure of the human body, enabled him to give architectural body to that image of "horizontal line" in which he believed he could catch the secret of an integration with the landscape. "By taking a human being for the scale", and substituting the "house-box" with the continuity of a single space, the "prophecy of organic architecture" opened a new horizon of architectural endeavour; a horizon fairly indebted to the early twentieth-century European avant-garde. Nevertheless, only in the American master did it find a convincingly "natural" transformation in tune with the ideals of the new world generations.

Fulvio Irace

A HOUSE AT RIVERSIDE
BY FRANK LLOYD WRIGHT

● Gli ambienti di soggiorno sono ubicati al piano superiore, mentre in basso sono disposti i servizi: "Al piano terreno trovarono posto le divisioni più nette, mentre al primo piano diaframmi più dolci e più leggeri. Ecco che cosa si deve intendere per *delimitazione dello spazio interno*: una logica costruttiva completamente nuova". All'interno la sequenza degli spazi è interrotta e collegata, al tempo stesso, da passaggi e cavità che esaltano la spazialità diffusa. "Pensai poi di articolare il grande ambiente-giorno mediante semplici divisori in grado di delimitare zone destinate alle varie attività domestiche. Le porte erano scomparse e gli ambienti non risultavano più tanto drasticamente divisi".

● *The day zones of the house are on the upper storey, whilst on the lower are the services: "This made enclosing screens out of the lower walls as well as light screens out of the second story wall. Here was true enclosure of interior space. A new sense of building, it seems". Inside the house, the sequence of space is at once interrupted and linked by passages and empty spaces which enhance the general feeling of spaciousness. "So I declared the whole lower floor as one room... screening various portions in the big room, for certain domestic purposes... Scores of doors disappeared, and no end of partition".*

In un grande parco, la "mansion"

THE MANSION SET IN A PARK

John Outram, architect

Una casa straordinaria si cela dietro un apparente patchwork di materiali e dietro una simbologia ancestrale che richiama i quattro elementi della filosofia antica: fuoco, aria acqua, terra. Per questa residenza di campagna in un grande parco del Sussex, l'architetto John Outram ha avuto cinque anni di tempo per riflettere (i proprietari non avevano nessuna urgenza): ne è nata una casa straordinaria. La simbologia qui riportata è una sintesi della sintesi delle sue premesse: ci sembra più stimolante arrivare subito ai risultati. Il classicismo innanzi tutto. Nell'architettura di John Outram il classicismo non è un banale codice espressivo, proprio di una produzione postmoderna, ma è una ricerca intellettuale che ne supera i limiti storici e accede direttamente alle sue motivazioni primitive (da qui i riferimenti alla filosofia presocratica). Nasce da un profondo senso della storia riferita a un luogo; un senso istintivo, quasi non dichiarato, ma che conduce a precisi richiami visivi offerti dalla storia del territorio (della campagna inglese, in questo caso specifico). A tutto ciò, Outram unisce una grande cultura tecnologica: sfogliando le pagine successive è assai difficile intravvedere in questa architettura la rigorosa modulazione derivata dall'edilizia industriale (può sembrare incredibile, ma la struttura dell'edificio è di acciaio). Per finire, una padronanza assoluta dei materiali. È una logica conseguenza: ogni materiale sisponde a una motivazione primordiale, si confronta con gli elementi della natura circostante, è governato da una mano che ne conosce i segreti

più riposti. Questa casa potrà anche non piacere. Ma è senza ombra di dubbio fuori dell'ordinario.

●

Behind what appears to be a patchwork of materials, and an age-old symbology recalling the four elements of ancient philosophy — fire, air, water and earth — lies a truly remarkable house. Architect John Outram had five whole years to meditate on his projects for this country house situated in Sussex parkland (the fu-

POLISHED BLACK CONCRETE — FIRE

CRUSHED BRICK CONCRETE — AIR

LIMESTONE CONCRETE — WATER

PEBBLE CONCRETE — EARTH

ture owners were in no hurry): the product of his reflections is an exceptional building. The symbology sketched here is actually only a summary of the summary of his initial concept; we feel it is more stimulating to go straight to the results. A first component of his design is classicism. Not, however, classicism used merely as a banal code of expression, as is so often the case in Post-Modern architecture. In John Outram's works it is a process of intellectual enquiry which goes beyond the historical manifestations of classicism to draw on its primitive rationale (hence the reference to pre-Socratic philosophy). Secondly, he has a profound sense of history, specifically related to place; a spontaneous, almost undeclared instinct, which leads him to precise visual symbols of the history of a given terrain (in this case, of the English countryside). A third component is his profound technological culture which, surprisingly, happily co-exists with his sensitivity for the past. Looking at the photos on the following pages, one is hardly aware of the rigidly modular dimensions of the house, derived from industrial architecture (incredible as it may seem, the basic structure of the building is of steel). Lastly, Outram handles his materials with masterly ability, a logical consequence of his preliminary concepts. The use of each material is legitimated by a primordial motivation, governed by a hand familiar with its most recondite secrets, and related to the elements of the surrounding natural environment. Not everyone will like this house. But it is, without a shadow of doubt, uncommon.

● In alto: la vecchia "mansion" demolita negli anni Cinquanta. Nella pagina a lato: la vista ravvicinata di una superficie esterna dell'edificio è una sorta di compendio dei materiali usati, in un accostamento

che sembra casuale solo se osservato così da vicino − travertino classico di Tivoli, mattoni rossi dell'Essex, aggregato di cemento e ciottoli, e alcuni tipi di graniglie di cemento ottenuti con diverse tecniche.

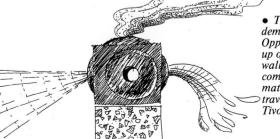

● *Top: the old mansion demolished in the Fifties. Opposite page: this close-up of one of the outside walls of the house offers a compendium of the materials used − classic travertine stone from Tivoli, Essex red brick,*

aggregate pebble concrete, and various types of chips and concrete aggregate produced by different techniques. The way they are combined seems haphazard only when seen at such close range.

THE MANSION SET IN A PARK

● Il fronte nord della casa, quasi del tutto privo di aperture: qui è l'ingresso principale. Il patchwork di materiali prende forma e trova più definite motivazioni nella sottolineatura degli elementi strutturali, nelle lesene, nelle grandi superfici piene delle murature. La casa ha preso il posto di un preesistente edificio demolito negli anni Cinquanta e si affianca alle vecchie serre che a suo tempo furono conservate. La pianta ha il fascino di un palazzo miceneo: un corpo centrale e due ali segnano sul suolo un'acca che si innesta nel corpo delle serre. Il dado terminale che ricorre agli angoli della struttura e sui comignoli è di cemento nero lucidato; la pietra chiara è travertino, tutte le altre superfici sono di graniglia di cemento variamente composta per ottenere campiture di colore diverso.

● *The north front of the house, almost totally devoid of openings, apart from the main entrance. Seen from a distance, the patchwork of materials acquires a meaning, underlining the structural features of the building, the pilasters, and the solid masonry surfaces. The house replaces a previous construction which was demolished in the Fifties; standing next to it are the old greenhouses which were left untouched. The plan is as intriguing as a Mycenaean palace. It is laid out like an "H", with a central block flanked by two wings; the greenhouses lie to the west of the "H". The cube which is repeated at the corners of the building and on the chimneystacks is of shiny black concrete. The light-coloured stone is travertine, and all the other surfaces are faced with aggregate concrete grit, the components of which were varied to obtain different colours.*

● Gli interni esplodono in una opulenza di marmi intarsiati, stucchi, legni, ori, cristalli. Nella foto piccola: il corpo centrale dell'edificio, adibito verso nord ad atrio, è visto longitudinalmente in direzione dell'ala ovest, che ospita la cucina, la dispensa e la grande sala da pranzo. Nella foto grande è inquadrata la porta verso il soggiorno, che occupa la parte rivolta a sud del corpo centrale. Ai lati della porta grandi superfici a specchio contribuiscono a complicare la percezione dell'ambiente.

● *The interiors are a symphony of opulence: inlaid marble, stucco decorations, wood, gilt and crystal. In the small photo: the central block of the house (the hall is on the north side) shown looking lengthwise towards the west wing, which houses the kitchen, the rough kitchen, and a spacious dining-room. The large photo is of the door leading into the living-room, which occupies the south-facing side of the central block. The large mirrors on either side of the door deliberately confuse the distinction between reality and illusion.*

THE MANSION
SET IN A PARK

● Il grande soggiorno
sul lato sud del corpo
centrale. Le pareti e i
soffitti sono rivestiti di
legni diversi che
riproducono anche
all'interno la
mutevolezza cromatica
dell'architettura. Tutto
l'arredamento è
costituito da pezzi di
antiquariato con qualche
pezzo contemporaneo di
disegno classico. Vasti
tappeti e scenografici
tendaggi sottolineano la
teatralità dell'ambiente
interno, che si affaccia
sul paesaggio altrettanto
scenografico del grande
parco di oltre
quattrocento ettari. Nella
foto piccola il soggiorno
è visto longitudinal-
mente verso la sala da
pranzo sul lato ovest.

● *The large living-room
on the south side of the
central block. The walls
and ceiling are panelled
with different kinds of
wood creating an indoor
parallel with the
chromatic variety of the
exterior. Nearly all the
furniture is antique, apart
from a few modern pieces
of classic design. Huge
carpets and flamboyant
curtains emphasize the
theatricality of the
interior, which looks out
over the equally suggestive
panorama offered by a
park of over a thousand
acres. In the small photo:
a lengthwise shot of the
living-room, looking
towards the dining-room
in the west wing.*

● Il fronte sud: a sinistra le vecchie serre, prive di copertura, che delimitano un grande soggiorno all'aperto; al centro la testata del nuovo corpo ovest con la grande finestratura della sala da pranzo; a destra, la testata del corpo est corrispondente alla camera da letto padronale. Nuova e vecchia architettura coesistono perfettamente: sono entrambe espressioni, sia pur diversissime nel linguaggio, dell'architettura di campagna inglese, fatta di volumi bassi adagiati sul suolo, molto accidentati nei profili, ma complessivamente dolci e amalgamati al paesaggio.

● *The south front: on the left, the former greenhouses, now roofless, which function as a vast open-air living space; in the centre, the windows of the dining-room at the end of the new west wing; on the right, the end of the east wing, containing the master bedroom. The new and old architecture go together perfectly. Both express, albeit in totally different architectural languages, certain constants of English country-house architecture: extended low volumes with broken, irregular profiles which blend harmoniously with the landscape creating an overall impression of peaceable well-being.*

● Ecco quanto
preesisteva alla casa
straordinaria: il grande
recinto delle serre (foto a
sinistra), scoperchiato e
ora usato come
soggiorno all'aperto. A
destra, la distesa di verde
del grande parco. "La
teoria e la pratica del
pittoresco costituiscono
il maggior contributo
dell'Inghilterra alla
estetica europea". Così si
esprime David Watkin,
studioso dell'architettura
inglese. L'opera di John
Outram, al di là delle sue
motivazioni profonde, al
di là della sua raffinata
sapienza tecnologica e,
soprattutto, al di là di
ogni possibile
valutazione sulle singole
interpretazioni figurative,
è probabilmente una
delle migliori risposte
contemporanee a questa
tradizione storica.
● *This is what existed on
the site prior to the
construction of the
remarkable house: the
walls of the greenhouses,
now roofless and used as
a patio (left). On the right,
the rolling green
parkland. "The theory and
practice of the Picturesque
constitute the major
English contribution to
European aesthetics".
This affirmation comes
from David Watkin, an
authority on English
architecture. John
Outram's house, above
and beyond its profound
rationale, its masterly
technological refinement,
and every possible
appraisement of
individual figurative
interpretations, probably
represents one of the best
contemporary responses
to this historical tradition.*

pubblicità *advertising*

ACERBIS INTERNATIONAL
SERIATE - (BG) - ITALY

art direction Studio Troisi - foto Studio Azzurro

SOFFIO DI VENTO:
sistema componibile
ad alta definizione d'uso
organizzabile liberamente.

Lodovico Acerbis - Giotto Stoppino

≡ DESIGN IN PROGRESS ≡

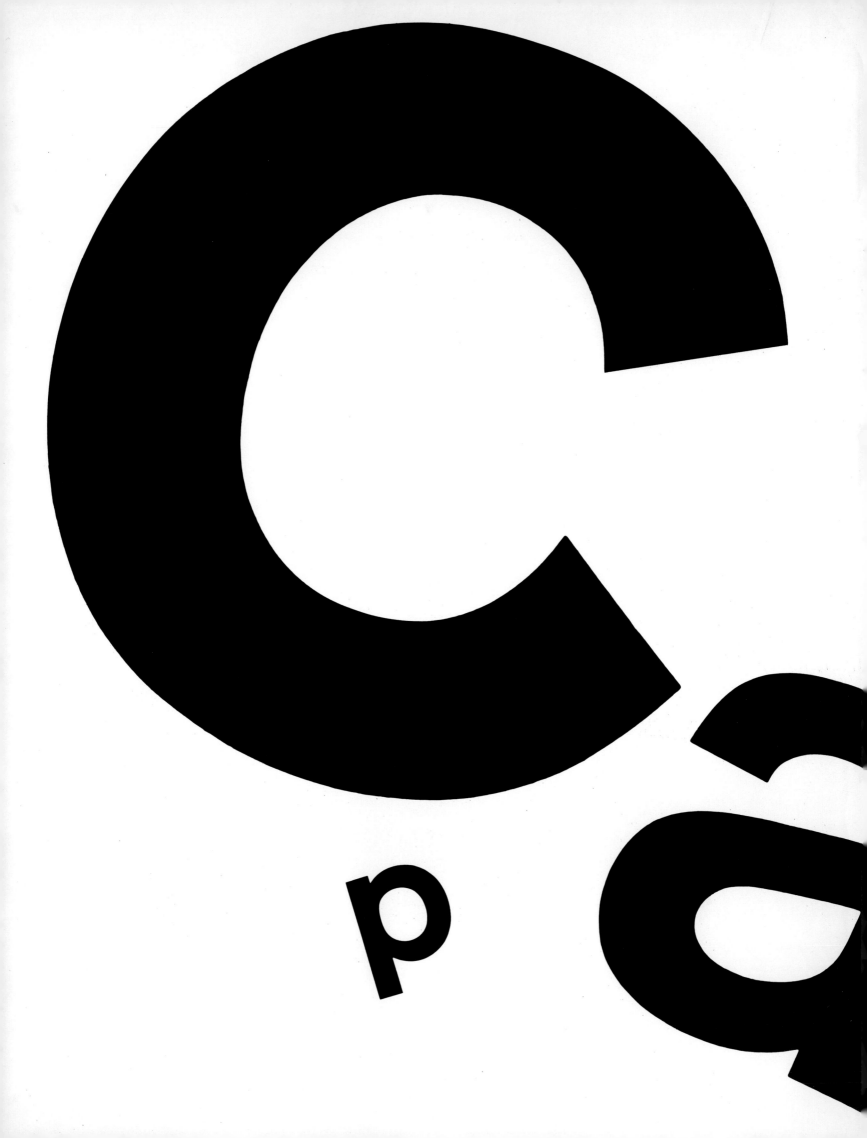

CAPPELLINI INTERNATIONAL INTERIORS.
LO SPAZIO IN TUTTE LE SUE DEFINIZIONI.

elam

ELAM SpA

Industria per l'Arredamento via Molino, 27 20036 Meda (Mi)

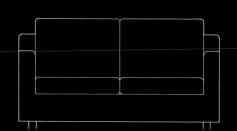
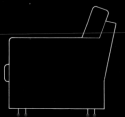

California di Piero Ranzani, un nuovo divano che pare realizzato con l'arte di un maestro artigiano ma è prodotto da un'industria

tecnologicamente avanzata. L'estrema comodità è ottenuta con cuscini morbidissimi in piuma d'oca; la sfoderabilità è semplice e veloce

Franco Raggi — Serie Gelosia - Invidia - Pigrizia

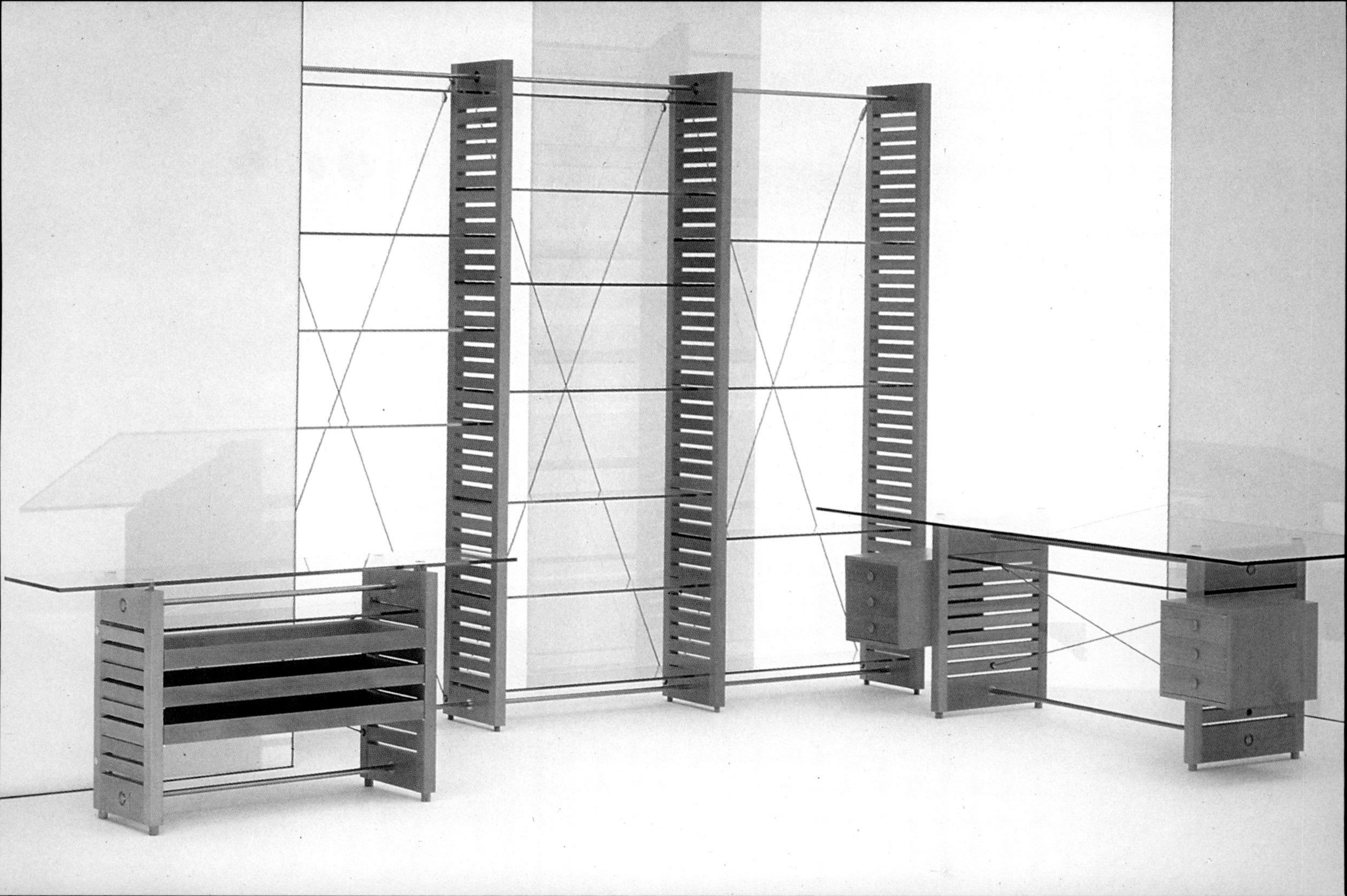

LE FORNITURE SPECIALI DI POLTRONA FRAU

Poltrona Frau: Special Items

Il successo del suo catalogo nell'arco degli anni e la qualità di lavorazione nel produrre divani e poltrone, ha portato un'azienda come Frau a incrementare due precisi orientamenti produttivi: l'uno, ricercando soluzioni nel campo del miglior design e favorendo l'indagine tecnologica; l'altro, conseguente al primo, entrando in una realtà più articolata, in grado di affrontare anche segmenti produttivi diversificati rispetto a quello consueto dell'ambiente domestico. È il caso, ad esempio, delle collezioni di sedute per l'ufficio direzionale e gli interventi nell'area delle forniture speciali destinate agli spazi comunitari, in modo particolare, teatri, alberghi, luoghi di rappresentanza. Tra i numerosi arredi recentemente realizzati da Frau in questo speciale settore dei luoghi di interesse pubblico, vi è la fornitura di numerosi divani "Pausa" (design Pierluigi Cerri) per la "Sala del fumo" del Parlamento olandese a Den Haag (nella foto di Alfredo Anghinelli).

The success of Frau's line of products over the years and the quality of its workmanship in manufacturing sofas and armchairs has led the company to expand two specific product areas. One aspect involves looking for solutions in terms of the best possible design and encouraging technological investigation; the other area, which is dependent on the former aspect, concerns Frau's acceptance of a more articulated outlook capable of confronting productive sectors that are different from the usual domestic setting.
One example of this is the collections of chairs for the administrative office; another concerns activities aimed at the production of special items for public spaces, especially theaters, hotels and showrooms. Among the many pieces recently created by Frau as part of its interest in public places are the numerous "Pausa" sofas (designed by Pierluigi Cerri) for the "smoking room" in the Dutch Parliament in The Hague (photo Anghinelli).

Tolentino (Italy)

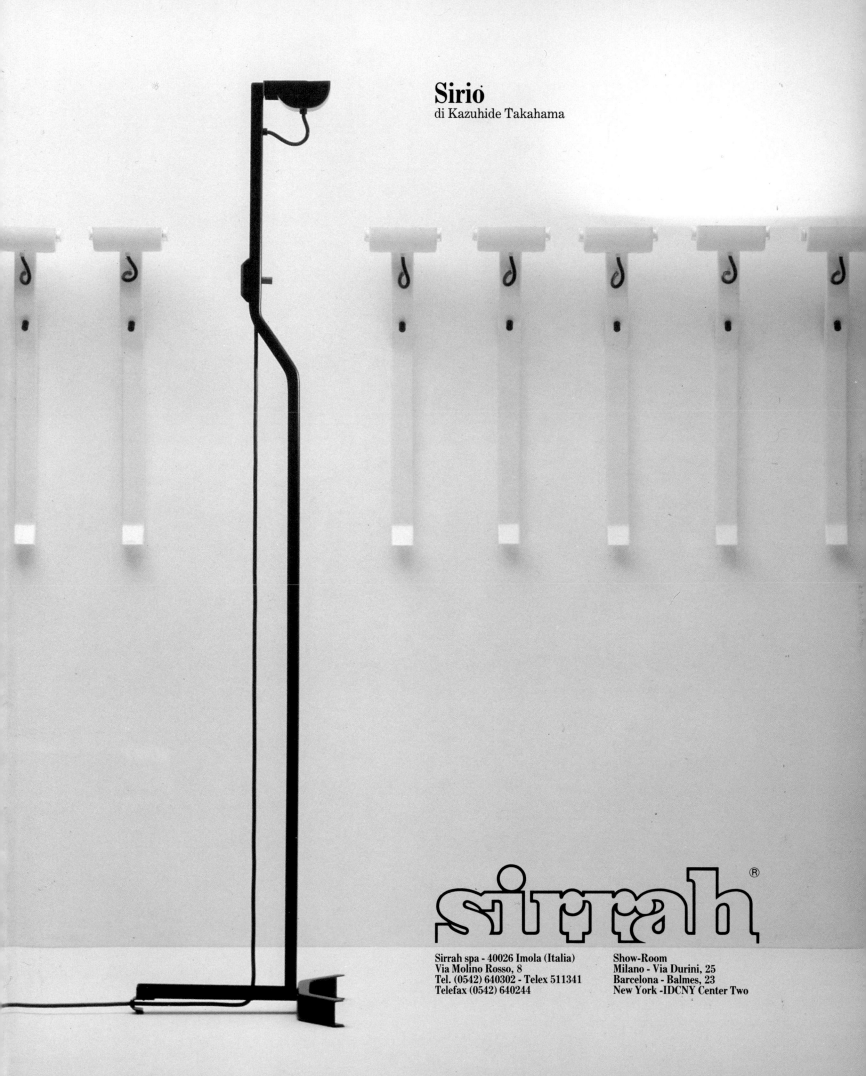

Sirio
di Kazuhide Takahama

sirrah®

Sirrah spa - 40026 Imola (Italia)
Via Molino Rosso, 8
Tel. (0542) 640302 - Telex 511341
Telefax (0542) 640244

Show-Room
Milano - Via Durini, 25
Barcelona - Balmes, 23
New York -IDCNY Center Two

ROTOVISION

Copyright text and photography © 1988
by Abitare Segesta S.p.A.

Published in association by:

Abitare Segesta S.p.A.
15, corso Monforte
I - 20122 Milano

RotoVision SA
Route Suisse 9
CH-1295 Mies

Worldwide distribution by:

RotoVision SA
Route Suisse 9
CH-1295 Mies
Switzerland
tel. 022/553055
tlx. 419246 rovi ch
fax 022/554072

Printed in Hong Kong
September 1988
ISBN 2-88046-080-8

Re-editing
Virginia Bezzola
Silvia Latis
Mia Pizzi
Maurizio Zanuso

Abitare editorial staff
Franca Santi Gualteri, *editor*

Liliana Collavo
Valeria Dini Genolini
Cristiana Menghi Sella
Carla Russo Vicario

Virginia Bezzola
Maria Giulia De Renzis
Barbera Ducoté
Liliana Galluzzo
Diana Sung

Carla Brusaferri
Susanna Mollica

Antonella Galimberti
Giovanna Spantigati

English text editor
Robert Scott